U0565229

本书编写组 编

中华优秀传统文化书系

Excellent Chinese Traditional Culture
The Great Learning

大学

山东画报出版社

图书在版编目（CIP）数据

大学／本书编写组编.—济南：山东画报出版社，2020.8
（中华优秀传统文化书系）
ISBN 978-7-5474-3650-9

Ⅰ.①大… Ⅱ.①本… Ⅲ.①儒家 ②《大学》—注释 ③《大
学》—译文 Ⅳ.①B222.1

中国版本图书馆CIP数据核字（2020）第104728号

中华优秀传统文化书系：大学

本书编写组 编

项目策划	梁济生
项目统筹	秦 超
责任编辑	梁培培
特邀编辑	仇 雨　张嘉奥
装帧设计	李海峰

出 版 人	李文波
主管单位	山东出版传媒股份有限公司
出版发行	山东画报出版社
社　　址	济南市市中区英雄山路189号B座　邮编 250002
电　　话	总编室（0531）82098472
	市场部（0531）82098479　82098476（传真）
网　　址	http://www.hbcbs.com.cn
电子信箱	hbcb@sdpress.com.cn
印　　刷	山东星海彩印有限公司
规　　格	787毫米×1000毫米　1/32
	6.75印张　9幅图　100千字
版　　次	2020年8月第1版
印　　次	2020年8月第1次印刷
书　　号	ISBN 978-7-5474-3650-9
定　　价	68.00元

出版说明

　　山东是儒家文化的发源地，也是中华优秀传统文化的重要发祥地，在灿烂辉煌的中华传统文化"谱系"中占有重要地位。用好齐鲁文化资源丰富的优势，扎实推进中华优秀传统文化研究阐发、保护传承和传播交流，推动中华优秀传统文化创造性转化、创新性发展，是习近平总书记对山东提出的重大历史课题、时代考卷，也是山东坚定文化自信、守护中华民族文化根脉的使命担当。

　　为挖掘阐发、传播普及以儒家思想为代表的中华优秀传统文化，推动中华文明与世界不同文明交流互鉴，山东省委宣传部组织策划了"中华优秀传统文化书系",并列入山东省优秀传统文化传承发展工程重点项目。书系以儒家经典"四书"(《大学》《中庸》《论语》《孟子》)为主要内容,对儒家文化蕴含的哲学思想、人文精神、教化思想、道德理念等进行了现代性阐释。书系采用权威底本、精心校点、审慎译注,同时添加了权威英文翻译和精美插图,是兼具历史性与时代性、民族性与国际性、学术性与普及性、艺术性与实用性于一体的精品佳作。

前言

作为儒家经典"四书"之首，《大学》被认为是"学者必由是而学"的重要典籍。朱熹引程颐之语评价道："于今可见古人为学次第者，独赖此篇之存，而《论》《孟》次之。"

一、"大学"之名

"大学"一词于今可谓盈耳可闻，其在中国之起源，据徐复观考查，在先秦重要典籍，如《诗》《书》《易》《仪礼》《周礼》《左传》《国语》《论语》《老子》《墨子》《孟子》《庄子》等书中均不见"大学"其词。现今能看到的最早正式提出"大学"一词的当是《礼记》中的相关篇目，除《大学》一篇外，还有《祭义》《王制》《学记》，以及《大戴礼记》中的《保傅》篇。然而这些篇目的成书时间存在争议，始终没有确论。

就古代学制而言，西周以降以至孔子之前，大体情况不外乎"学在官府"，如《周礼·春官》所谓"成均"和《诗经·大雅·灵台》之"辟雍"。孔子教授弟子，私学遂起，至于孟子则有所论"庠序之教"。在学习内容、方式和场所上皆不断扩展，但终是没有正式的"大学"之名。可以想见的是，儒家一直以来都有整饬学制，甚至是建立后来所谓"大学"以施教育教化的理想。于是到了汉武帝时，董仲舒上《举贤良对策》，谏立太学。故而"大学"的出现当不晚于武帝之时，极有可能在其之前便已有之。

至于朱熹"人生八岁，则自王公以下，

至于庶人之子弟，皆入小学，而教之以洒扫、应对、进退之节，礼乐、射御、书数之文；及其十有五年……皆入大学，而教之以穷理、正心、修己、治人之道"所论，于实无据。十五入大学，更有比附孔子"十有五而志于学"之嫌。其"大学者，大人之学也"一语，也不如前人孔颖达所谓"学之大者"更显宗旨。故"大学"指学问之大者，盖最为周全。

二、《大学》作者、成书与版本

在朱熹之前，《大学》作者并无确指。如程颐所说："《大学》，孔氏之遗书，而初学入德之门也。"只认为这是儒家经典罢了。而朱熹则在《大学章句序》中以为孔子"独取先王之法，诵而传之以诏后世。……三千之徒，盖莫不闻其说，而曾氏之传，独得其宗，于是作为传义，以发其意"，把《大学》归于曾子。但《大学》通篇除所引"曾子曰"

一段外,不见有确系曾子所作之内容。从思想史考察此问题,我们很容易看出朱熹以曾子为《大学》作者,是为了构建"孔子—曾子—子思—孟子"这一儒家道统。依目前材料,《大学》作者难以考定,而其成书年代或能大体说明。

前面所论"大学"一词首次出现之时间,对于研究《大学》成书时间具有一定的佐证意义。如日本学者武内义雄在《先秦经籍考》一书中便认为《大学》成书于武帝时,或者武帝以后。其依据便是太学之建构当在《大学》之前。但徐复观在《中国人性论史》中认为与《大学》成书相关的"大学"之观念与"太学"之实体,很难确定其先后关系,即所谓"从历史看,有的是先有事实,而后有解释事实之理论;亦有的则是先有表示某种理想之理论,而后乃出现实践理想之事实"。徐先生还通过对《大学》特性的考察,对比《大学》与《学记》《秦誓》《尔雅》的内容,进而在定出其先后关系的基础上认定《大学》是"秦统一天下以后，西汉政权成立以前的作品"。此可备一说。此外，还有班固"七十子后学"所作、冯友兰《〈大学〉为荀学说》，近来又有从文献角度考察《大学》成书的成果，如李学勤《从简帛佚籍〈五行〉谈到〈大学〉》、梁涛《〈大学〉早出新证》、郭沂《子思书再探讨——兼论〈大学〉作于子思》等。从战国到汉初，皆有所论，莫衷一是。我们认为从思想史和文献学角度考察《大学》成书时间，虽不一定有所确论，但这一考察过程确实也能在一定程度上厘清《大学》与其他相关典籍的内在关系。

《大学》原为《礼记》中的一篇，宋司马光作《大学广义》，始有单行本。不过自唐代韩愈以来，《大学》的价值被不断认清和拔高，终有朱熹作《四书章句集注》，把《大学》列为"四书"之首。王阳明称《礼记》本《大学》为"古本"，称朱熹修订之《大学》为"新本"。

朱熹"新本"之"新"有两点：一则是以"亲民"作"新民"，此一点正文有述；二则是重新规划章节次序，并分出经传之别，即本书所采用的经一章、传十章的结构，甚至补撰《传第五章》格物、致知之义。朱熹对此有言："（经一章）孔子之言，而曾子述之。其传十章，则曾子之意，而门人记之。"王阳明对此种分法不以为然，其在《大学古本序》中说："旧本析而圣人之意亡矣。"我们今天看朱熹调整后的新本，虽在几处细节上有所疑问，但其大体确实更显条理，不可不谓其有功于后世之读者。

《大学》被列入"四书"后，学者无不关注，尤其是后世还曾把《四书章句集注》作为科举考试的重要内容。此后，为《大学》注解者渐多，其中较为卓著的有宋朝真德秀《大学衍义》、金履祥《大学疏义》、黎立武《大学本旨》，明代丘浚《大学衍义补》，清人胡渭《大学翼真》、毛奇龄《大学证文》等。

三、《大学》之规模及其思想

如上所述，新本《大学》厘定为经一章和传十章。经一章为全书提纲挈领之处，其文不过205字，但全书之精神全浓缩涵盖其中，精研经文可达纲举目张之效。经一章可用"三纲八目"一词概括言之，"三纲"即"明明德、亲民、止于至善"，"八目"即"格物、致知、诚意、正心、修身、齐家、治国、平天下"。"明德"是先秦时期的重要观念，指人本有之善性，"明明德"便是不断拂去俗世给"明德"所蒙盖的尘埃，以发明本心、善性。"亲民"或"新民"，都是要求统治者注意对臣民的滋养和教化。"止于至善"，不是说要停止于某处，而是说要以"至善"为旨归。如何才能实现这三个纲领呢？那就要按照"知止而后有定；定而后能静；静而后能安；安而后能虑；虑而后能得"的路径来践行。

《大学》立论承袭先儒"修己安人"的
治世之道，在"三纲"之下提出"八目"。"八目"
之间逻辑严密，环环相扣，大体上又可分为
两个部分：一是"内圣"，属于"修己"的
历练范畴；一是"外王"，属于"安人"的
事业范畴。"格物、致知、诚意、正心、修身"
属于"扪心自问"式的内修，是一种自觉的
反省，其中"格物、致知"是知识修养，"诚意、
正心"是道德修养；"齐家、治国、平天下"
属于外修，是得到修养后一种志向与能力的
展现。故而，"八目"是《大学》一书的精
神内核，也是古代读书人的理想路径，启迪、
指导他们发奋图强、修身立志。

　　经文以下分传凡十章，分别是"释明明
德""释亲民""释止于至善""释本末""释
格物、致知之义""释诚意""释正心修身""释
修身齐家""释齐家治国""释治国平天下"。
皆是对经文"三纲八目"的具体疏解和阐发。
撮其要旨，《大学》最为独特的价值便是其

思想的系统性，而这一系统则以儒家"内圣外王"传统为根本立足点，其人文意识里的积极意义尤为深邃，跨越千年，在今天仍然具有巨大的正能量，依然滋养着我们的心智。

四、《大学》的现实价值及本书的实践

《大学》被古代读书人奉为人生之宝典、治学之圭臬，时至今日，我们虽不必把它奉为绝对真理，但对于《大学》的价值也应当在理性认识的基础上积极汲取，在科学扬弃的基础上加以光大。这也是本书的根本宗旨。

践行修身之道，完善自身品格。"富润屋，德润身"，我们要用从《大学》中汲取的智慧丰富自我。我们既要努力提高科学文化素质，并在此基础上敢于创新创造，做到"日日新"；又要努力提升思想道德素质，承担好自己的社会角色，养成博雅君子之风范。做到这些的一个重要出发点便是"诚意"，

而检验诚意的方式便是"慎独"。我们每一个人如果都能遵循本性之善为人处世，我们的社会也一定会光明美化。

践行奉献精神，贡献自身能量。"唯仁人为能爱人，能恶人"，我们要做为社会贡献正能量的仁人志士。虽然《大学》中关于治国的主张大多是对统治者提出的要求，但在当今社会，人民是国家的主人，我们都应该抱着主人公的意识去为国家的建设、民族的复兴添砖加瓦。我们从自身做起，从家庭着手，积极融入社会，积极报效国家，要做到"贤其贤而亲其亲"，奉行仁义、辞让、自谦、忠信、絜矩之道。

重读经典，回望初心，既是我们当下重要的文化主题，又是文化自觉、文化自信的重要表征。本书以浓厚的历史关怀和深切的当代诉求来理解《大学》，从中汲取丰富的人生哲理，从中感悟深刻的社会价值，并致力于通过阐释经典而使经典中的哲理和价值切于时用、付诸实践，使之融入时代精神而得以发扬光大、生生不息。如果说儒家文化塑造了我们的民族品格，《大学》的教化作用绝不可低估。在当今复杂的社会环境中，大到兼济天下，小到独善其身，《大学》中所蕴含的修己安人、化民成俗的"明德"品格，是中华民族永远闪耀着的人性光辉，也是中华民族永恒的价值追求。

Contents

经 一 章

Text

大学之道 [1]，在明明德 [2]，在亲民 [3]，在止于至善 [4]。

知止而后有定 [5]，定而后能静 [6]，静而后能安 [7]，安而后能虑，虑而后能得 [8]。物有本末，事有终始。知所先后，则近道矣。

古之欲明明德于天下者，先治其国；欲治其国者，先齐 [9] 其家；欲齐其家者，先修 [10] 其身；欲修其身者，先正其心；欲正其心者，先诚其意；欲诚其意者，先致其知 [11]；致知在格物 [12]。

物格而后知至，知至而后意诚，意诚而后心正，心正而后身修，身修而后家齐，家齐而后国治，国治而后天下平。自天子以至于庶人，壹是 [13] 皆以修身为本。

其本乱而末治 [14] 者否 [15] 矣，其所厚者薄 [16]，而其所薄者厚，未之有也！

What the *Great Learning* teaches, is — to illustrate illustrious virtue; to renovate the people; and to rest in the highest excellence.

The point where to rest being known, the object of pursuit is then determined; and, that being determined, a calm unperturbedness may be attained to. To that calmness there will succeed a tranquil repose. In that repose there may be careful deliberation, and that deliberation will be followed by the attainment of the desired end. Things have their root and their branches. Affairs have their end and their beginning. To know what is first and what is last will lead near to what is taught in the *Great Learning.*

The ancients who wished to illustrate illustrious virtue throughout the kingdom, first ordered well their own states. Wishing to order well their states, they first regulated their families. Wishing to regulate their families, they first cultivated their persons. Wishing to cultivate their persons, they first rectified their hearts. Wishing to rectify their hearts, they first sought to be sincere in their thoughts. Wishing to be sincere in their thoughts, they first extended to the utmost their knowledge. Such extension of knowledge lay in the investigation of things.

Things being investigated, knowledge became complete. Their knowledge being complete, their thoughts were sincere. Their thoughts being sincere, their hearts were then rectified. Their hearts being rectified, their persons were cultivated. Their persons being cultivated, their families were regulated. Their families being regulated, their states were rightly governed. Their states being rightly governed, the whole kingdom was made tranquil and happy. From the Son of Heaven down to the mass of the people, all must consider the cultivation of the person the root of everything besides.

It cannot be, when the root is neglected, that what should spring from it will be well ordered. It never has been the case that what was of great importance has been slightly cared for, and, at the same time, that what was of slight importance has been greatly cared for.

【注释】［1］大学之道：大学的宗旨。大学，古代有两种含义，一为"博学"，一为相对于小学的"大人之学"。［2］明明德：第一个"明"为动词，弘扬、光大之意。第二个"明"为形容词，明德，即美好善良的品德。［3］亲民：关爱民生。程颐以为"亲，当作新"，朱熹沿用此说法。"新民"，弃旧图新、使之新民的意思。［4］止于至善：止，朱子释文为"必至于是而不迁之意"。此句意即一心朝着"至善"的目标努力，中途不会改变。［5］定：坚定。［6］静：指心静，心境不浮躁。［7］安：安心。［8］得：收获。［9］齐：整理、整治。［10］修：修养、修炼。［11］致其知：使自己获得知识。致，这里有"获得""积累"之意。［12］格物：探究事物的原理、规律。格，探究、推究。［13］壹是：一律、一切。［14］本乱而末治：根本上混乱而从末端治理。［15］否：不可能。［16］所厚者薄：应重视的被轻视。厚，这里有"注重""重视"之意。薄，相对有"淡薄""轻视"之意。

【译文】大学育人的宗旨，在于弘扬美好的品德，在于关爱民生，在于达到尽善尽美的人生境界。

知道尽善尽美的终极目标后就会使志向坚定不移，志向坚定后就能使心情平静，心情平静之后自然就能安心，安下心来之后就能仔细思考，经过仔细思考后就能有所收获。世间万物的发展都有本源与末节，事情的演变也有终结与开始。能够了解事物发展变化的先后顺序，这样就靠近事物发展的规律了。

物有本末
事有終始
知所先後
則近道矣

語出大學經一章

己亥秋張仲亭書

录《大学》句　张仲亭　书

古代想要弘扬美好品德于天下的人，首先要治理好自己的邦国；要想治理好自己的邦国，先从管理好自己的家庭开始；要想整理好自己的家庭，先从自身品德的修养做起；要想修养好自身品德，必须先端正自己心中的志向；要想端正自己心中的志向，必须先要有真诚的意念；要想有真诚的意念，必须先获得明辨是非的知识；获得知识在于探究事物的原理。

探究了事物原理之后知识便欣然而至，有了知识的积淀后意念就会真诚无邪，意念真诚无邪后心中的志向才会端正，心中志向端正后就会注重修养自身品德，注重自身修养后才能管理好家庭，管理好家庭后才能治理好国家，国家长治久安后就会天下太平。上自天子，下至平民百姓，一律都应以自身的修养为根本。

根本上混乱了而想从末端治理好是不可能的，应该注重的被轻视，应该轻视的反而被注重，从来没有这样的道理。

【解读】本章是《大学》一书的文字内容总纲，以下十章都是紧紧围绕此章铺展开来的，故称本章为"经"。本章的主要内容，就是开门见山地提出了在儒家思想中举足轻重的"三纲八目"。所谓"三纲"，指的是"明明德""亲民""止于至善"，它们是"大学之道"的三个根本宗旨；所谓"八目"，指的是"格物""致知""诚意""正心""修身""齐家""治国""平天下"，它们是实现三个根本宗旨的基本途径。

"三纲"之中，我们首先要搞清楚"明明德"的意义。儒家要弘扬、光大的"明德"到底是什么？纵观《大学》一书，作者并没有给予明确的解答。或许，我们可以尝试去将《大学》从《礼记》中抽取出来的朱熹那里寻找答案，他在《朱子语类》中有这样的解说："明德，是我得之于天，而方寸中光明底物事。统而言之，仁义礼智。"依朱子看来，"明德"是人们与生俱来的善良美好的品德：仁义礼智。不过，此种说法似乎还是不够具体。循着"仁义礼智"这条线索继续追溯，我们最终会在孟子那里解开疑惑。《孟子·告子上》中有这样的论述："恻隐之心，仁也；羞恶之心，义也；恭敬之心，礼也；是非之心，智也。"由此推之，恻隐之心、羞恶之心、恭敬之心、是非之心就是人们生而有之的善良而美好的品德。

然而遗憾的是，以上四心虽为人们先天而有的光辉品德，但由于受到后天的社会环境和各种欲望的影响与诱惑，这种"明德"往往会被有意无意地隐藏起来，以至于人们不能自觉地呈现出它们。因此，发扬、光大"明德"就变得特别重要了。那么，如何去"明明德"呢？首先，人们要除去在成长过程中后天形成的不良品德，也就是加强自身修养，努力唤醒自身先天即有的美德，使"明德"重新焕发生机。其次，唤醒美德不是终点，这只是"明明德"的起点，人们仍需继续前行，在道德实践中时刻反躬自省：自己还存在哪些不足？与"贤者"相比还有多少差距？是不是也有"不贤者"身上的缺点和毛病？最后，也是最核心的要求，人们在道德实践中应做到慎独。一个具备美好品德的人，不能只是在与人相处时才像个道德君子，在无人监督的时候也应该用严格的道德标准来要求自己。只有这样，才能说这个人真正拥有了"明明德"的潜能，也只有这样，他才有资格去"明明德"，才能有机会实现"再使风俗淳"的社会理想。

　　一般来说，"明明德"是道德实践者自觉修养和自我完善的内在过程，而"亲民"则是道德实践者在个体修为达到一定程度后，于为人处世中表现出的外在行为，即凭借自身修养得来的品德自觉地去关爱民众。王阳明在其《大学问》一书中写道："故明明德必在于亲民，而亲民乃所以明其明德也。"用现在的话讲，即"亲民"是"明明德"的正确打开方式，没有"亲民"，也就没有了"明明德"生根发芽的现实土壤。

关于"亲民"与"新民"，学术史上存在一些争议。《礼记·大学》原本中为"亲民"，理学的奠基人之一程颐以为"亲"当作"新"。作为理学集大成者的朱熹理所当然地继承了此种说法，在《四书章句集注》中沿用"新民"一说，并释"新民"曰："新者，革其旧之谓也，言既自明其明德，又当推以及人，使之亦有以去其旧染之污也。"他还在《四书或问》中说道："今'亲民'云者，以文义推之则无理；'新民'云者，以传文考之则有据……"徐复观先生认为"'亲民'云者，以文义推之则无理"，这说得太过。但说"'新民'云者，以传文考之则有据"（《中国人性论史》），倒是可信的。朱熹强调《大学》中"经文"与"传文"是前后照应的关系，"传文"第二章中所引经典多处言及"新"，且有"作新民"的表述，故"经文"中用"在新民"较为妥当。

朱熹这一说法引来王阳明的质疑，王阳明以为"在亲民"一样有传可依，并拿出"君子贤其贤而亲其亲"和"此之谓民之父母"之句佐证。但王阳明此说太牵强，一则王阳明所引之证不是紧承"在亲民"而言，二则"贤其贤而亲其亲"之"亲"和"在亲民"之"亲"在施加对象上存在区别，很难认为是一体的。抛开此种争论，我们单看"亲民"与"新民"在含义上的区别："在亲民"强调在上者对民之关怀，体现了君民融洽关系和君者的温情，是为"养民"；"在新民"则有改造民众之意，强调统治者对民众的驾驭，是为"教民"。儒家自先秦以来便对养民和教民都有所强调，孔子、孟子、荀子更是主张先养后教。王阳明之所以反对"新民"之解，有其对当时专制政治的一种反抗意识在内。其实，"亲"与"新"之字义亦有相通之处，"亲民"可养而后教，"新民"也并未抛弃养民之义。况且朱熹也并非径直改经，而是采取了"传疑"

的谨慎态度。综上，本书译文中还以"在亲民"作解，并在此处把此问题予以交代，兼存二义以供读者参详。

"亲民"是孔子仁的学说、孟子仁政思想的集中体现，也是儒家长久以来孜孜以求的政治目标。孔子讲"修己以安百姓"，孟子说"亲亲而仁民"。因此，作为贤明君王或者道德君子，应该自觉做到推己及人，不能仅满足于自身拥有"明德"，还要深入社会去"明明德"，教化民众去掉蒙昧。"在亲民"之"亲"，有亲近、关爱的意思。只有近距离地接触、亲近民众，才能了解生民百姓的艰难困苦，自然就会触动、激发自己的恻隐之心和责任意识，然后在与民众的交往中便自觉地以仁爱之心对待他们。这样一来，民众反过来也会亲近、相信自己。因为做到了以身作则，就能在此基础上去感化、熏陶百姓，使人与人之间皆能相亲相爱、和谐相处，进而移风易俗，并最终建成一个有礼有序的理想社会。

人们做任何事都要追求完美，追求最高境界，"大人之学"也不例外。无论是作为内在修养过程的"明明德"，还是作为外在实践方式的"亲民"，都是以"止于至善"为努力方向和最终目标。"至善"，意即尽善尽美，是个体所能达到的最高道德境界，或者政治上所能实现的最高目标。达到这个境界或者实现这个目标，离不开持之以恒的自觉修养和躬身实践的过程。能够"止于至善"的，既可以是道德实践者自身，也可是受其熏陶、影响的他人；可以是君主贤人，也可以是普通民众；甚至一个家庭、一个社会、一个国家，都应该把"至善"作为最终追求。在这里需要指出的是，"止于至善"对大多数人来说或许是难以做到的，但绝不能放松对自己的要求，而应始终保持"生命不息，奋斗不止"的决心，坚定自己的方向。最低要求，也要有"虽不能至，心向往之"的态度。

如何实现这三个纲领呢？那就要做到"知止而后有定，定而后能静，静而后能安，安而后能虑，虑而后能得"。这里的"定""静""安""虑""得"，都是内在的心境排序，是一个递进的过程，重点落实在"得"。只有掌握了这一方法，或者说按照这一方法去做，才会有所得。

"三纲"的具体实现也离不开本章随后提出的"八目"。"格物、致知、诚意、正心、修身、齐家、治国、平天下"，此八目的排列顺序不是随意而为的，它们之间有着极强的逻辑性：前后相邻的两个条目构成因果关系，前者是前提，后者是结果，环环相扣，层层递进。就"八目"的指向而言，我们可以将其分为两个方面，即"内修"与"外治"。其中，"修身"是"八目"中最重要的一环，它起着承上启下的作用。以"修身"为界，向前推，将"格物、致知、诚意、正心"划入"内修"，与"三纲"之中的"明明德"

相对应；向后推，将"齐家、治国、平天下"归入"外治"，与"三纲"之中的"亲民"相对应。内外兼修，修行不辍，遂能"止于至善"。

自宋代开始，谈论"格物致知"的学者逐渐多了起来，但当时人们并没有形成一致的观点，众说纷纭。后因朱熹的《四书章句集注》在元朝成为科举考试的命题依据，特别是明朝开始推崇朱子学说，故朱熹对"格物致知"的理解便成为影响最大、最具权威的解说。他认为："所谓致知在格物者，言欲致吾之知，在即物而穷其理也。"人们要广泛地接触、观察世间万物，然后通过深入地探究事物的原理，最终获得关于事物认知的某种智慧。他还进一步强调："至于用力之久，而一旦豁然贯通焉，则众物之表里精粗无不到，而吾心之全体大用无不明矣。此谓物格，此谓知之至也。"人们持之以恒地"格物"，终有一天会达到豁然开朗之境界，并将已知的和"格"来的知识融会贯通。届时，人们就能将世间万物之间错综复杂的关系捋顺分清，内心也不再被主观、客观的因素干扰、遮蔽，如此便能明辨是与非、善与恶。由此可见，朱熹认为"知"的获得主要依靠人们已有的经验和自省，"致知"的最终目的是"明明德"，而不是单纯地去掌握世间万物的本质特征、普遍规律，这也符合儒家一贯的"教化万民"的主张。

格物致知之后，人们能够明是非、辨善恶，自然会笃定地信奉义理，主动克制私心杂念，这就为"诚意正心"做好了准备。"诚"有"真实"的意思，因此"诚意"就是要人们的意念真实自然，不矫饰，不做作，既不欺人，亦不自欺。人们不仅要在与人相处时展现诚意功夫，在自己独处时更要保有这种善念，这就要求人们在"慎独"上付出努力。如果一个人能在没有外界监督的情况下依然严格要求自己，意念真诚，崇德向善，这就是真正做到"诚意"了。"正心"是"诚意"之后的进一步道德修养过程。一个正常人往往会有愤怒、恐惧、忧患、激动等情绪，而内心容易被这些情绪左右，故"心"不能得其"正"。所谓"正心"，当然不是要求人们不能有前述所说的情绪情感，更不是有些人片面理解的"灭人欲"。每个正常人都会有基本的情感和情绪，只不过情感的产生、情绪的表现要不偏不倚，无过不及。这样一来，人们便会不断去除杂念干扰和消极情绪的影响，一方面有利于光大自身"明德"，另一方面也有利于端正内心志向。

前文已经提及，"格物、致知、诚意、正心"皆为"明明德"的表现形式，而"修身"则是这四目的终点。"修身"是一个持续的修身养性的过程，道德实践者要在这个过程中不断校正并完善自身的道德修养，最终塑造出完美人格，从而为实现社会理想打下坚实基础。自身修养完善以后，按照儒家的一般思路,就要推己及人,因此,"修身"又是"齐家、治国、平天下"的起点,而这三目,也正是"亲民"的实践方式。

中国古代实行宗法制度,家庭是构成社会组织的基本细胞,"家天下""家国同构"的思想都决定了"齐家"的重要性。那么,如何才能做到"齐家"呢?"齐家"的核心在于实践主体道德修养的示范作用。这就要求一个家庭的家长或一个家族的族长,首先做到为人处世要符合伦理道德的标准,并以身作则来带动或影响家庭其他成员。如此一来,不仅家长自身的道德水平越来越高,整个家族成员的道德修养也会不断加强,人人皆能自觉遵守礼仪规范,久而久之,良好家风自然形成。家庭内部和谐有序、幸福团结,就为"治国、平天下"打下了基础。在儒家视野里,"治国"与治家实有异曲同工之妙,在一个家庭里被奉为伦理原则的"父慈子孝、兄友弟恭",同样适用于一个国家。正所谓"君君臣臣、父父子子"，能做到"齐家"的家长一定是道德修养上的高标，当身份转换成为政者后，因其品德端正，作风正派，故能上行下效，政令畅通，国家自然得以治理。

孟子曰："君子之守，修其身而天下平。"（《孟子·尽心下》）他认为，"齐家、治国"以后，为政者修身立德的最终目标是"平天下"。很显然，这里的"平"不是依靠武力或强权完成的，儒家将"平天下"的方式浓缩成两句话，即孔子所说的"道之以德，齐之以礼"。经由"修身"，为政者向内完成了"明明德"的过程，向外于家、国之中确立了礼教、秩序。在此基础上，他们就可以用道德去引导百姓，用礼教、秩序去规范百姓，以"仁义礼智"为道德核心的文明风气就会传遍四海，惠及万民，终至天下太平的"至善"之境。

今天，人们常常将文化自信挂在嘴边。若做到文化自信，首先要有文化自觉，而文化自觉的表现之一就是对经典作品的价值认同和选择性继承。《大学》开篇即以"三纲八目"制定了千百年来圣王君子的道德修养原则和实践方式，虽有其历史局限性，但依然不可否认这一优秀传统文化是馈赠给世人的宝贵财富。只要我们本着"取其精华，去其糟粕"的审慎态度，赋予其新时代的固有特色，大学之道依然会对社会主义核心价值的弘扬以及社会主义精神文明建设起到积极作用。

传第一章 Commentary 1

《康诰》[1] 曰："克 [2] 明德。"《大甲》[3] 曰："顾諟 [4] 天之明命。"《帝典》[5] 曰："克明峻 [6] 德。"皆 [7] 自明也。

In the *Announcement to Kang*, it is said, "He was able to make his virtue illustrious." In the *Tai Jia*, it is said, "He contemplated and studied the illustrious decrees of Heaven." In the *Canon of the Emperor Yao*, it is said, "He was able to make illustrious his lofty virtue." These passages all show how those sovereigns made themselves illustrious.

【注释】[1]《康诰》：《尚书·周书》中的一篇，是周公封康叔时作的文告，此文告为康叔上任之前，周公对他所作的训辞。[2]克：能、能够。[3]《大甲》：《尚书·商书》中的一篇。大，通"太"。[4]顾諟：旧时特指敬奉、禀顺天命。顾，有"思念""念念不忘"之意。諟（shì），今同"是"。［5］《帝典》：即《尧典》。《尚书·虞书》中的一篇。［6］峻：大、崇高。［7］皆：这里指所有引用的文字。

【译文】《康诰》说："能够弘扬品德。"《太甲》说："念念不忘上天赋予的光明使命。"《帝典》说："能够弘扬崇高的品德。"这些都是在讲明自己弘扬的美德。

【解读】大学首章，论及明德。弘扬美德，是天所属。拥有道德，是人之本性。我们要成为一个有学问的人，成为君子，必须要修炼成为有道德的人、继承光明使命的人、弘扬崇高德行的人。

本章连用三则《尚书》名言来论证明明德的重要性。《尚书》是中国最古老的历史文献汇编，汇总了上古历史文献和部分追述古代事迹的著作，相传为孔子编定，原书共有 100 篇。它保存了商周时期，特别是西周初期的很多重要史料，分别称《虞书》《夏书》《商书》《周书》，战国时总称为《书》，汉代改称《尚书》，意即"上古帝王之书"（《论衡·正说篇》）。

《尚书》这三条都在讲要弘扬自己的美德。"德"字的本意是七曜（日月和金木水火土五大行星）的自然运行轨迹，后来引申为直视"所行之路"的方向，遵循本性、本心，顺乎自然，不违背自然规律去发展社会、提升自己。

中华文明绵延五千余年，造就了灿烂辉煌的文化景观，成为世界历史上唯一没有中断，延续至今的古老文明。《大学》作为儒家四书第一入门之书，影响中国社会至深，对造就中华文明有重要作用。中国古代的知识分子也以传承文明、完善道德为使命，一代代口耳相传、著书立说，一次次把道德修身推向不同的高度，筑就了彪炳史册的道德完人大厦。

周公辅佐武王完成一扫天下的大任，在武王去世后，又独对危局，辅立幼主，大公无私，鞠躬尽瘁，留下"周公吐哺，天下归心"（曹操《短歌行》）的佳话，也为中华民族树立了道德完美的标杆。刘备三顾茅庐得贤相诸葛亮，诸葛亮一生跟随刘备，出生入死，运筹帷幄，尤其是辅佐后主刘禅，忠心耿耿，毫无二心，一生辛劳为国为民。还有誓死不降的抗元名臣文天祥、虎门销烟名垂青史的林则徐、清朝中兴重臣曾国藩，这些人"居庙堂之高则忧其民，处江湖之远则忧其君"（范仲淹《岳阳楼记》），文治武功名满天下，激励了一代代人前赴后继，死而后已。

相反，道德败坏祸国殃民的奸人贼子和佞幸小人，注定被历史钉在耻辱柱上，为人们所不齿——指鹿为马的赵高、窃权误国的黄皓、口蜜腹剑的李林甫，更不用说陷害忠良的秦桧、权大欺主的和珅之流了。

每个人都继承美德，社会就趋向美好。

康叔卫国勤治理　吴泽浩　绘

国家弘扬美德，中华儿女的凝聚力、向心力就会更强大。强化个人层面道德修养的同时，国家也一直十分重视推进公民道德建设，尤其是广大领导干部要讲政德。政德是整个社会道德建设的风向标。立政德，就要明大德、守公德、严私德。明大德，就是要铸牢理想信念、锤炼坚强党性，在大是大非面前旗帜鲜明，在风浪考验面前无所畏惧，在各种诱惑面前立场坚定。守公德，就是要强化宗旨意识，全心全意为人民服务，恪守立党为公、执政为民理念，自觉践行人民对美好生活的向往就是我们的奋斗目标的承诺，做到心底无私天地宽。严私德，就是要严格约束自己的操守和行为。

崇高的品德不是天上掉下来的，而是需要长期修炼、全面作为。如何才能养成崇高的品德，承担历史使命呢？第二章给我们指出了方法和途径。

传第二章

汤之《盘铭》^[1] 曰："苟日新^[2]，日日新，又日新。"《康诰》曰："作新民^[3]。"《诗》曰："周虽旧邦，其命惟^[4]新。"是故君子无所不用其极^[5]。

On the bathing-tub of Tang, the following words were engraved: "If you can one day renovate yourself, do so from day to day. Yea, let there be daily renovation." In the *Announcement to Kang*, it is said, "To stir up the new people." In the *Book of Poetry*, it is said, "Although Zhou was an ancient state, the ordinance which lighted on it was new." Therefore, the superior man in everything uses his utmost endeavors.

【注释】［1］汤之《盘铭》：汤，指商朝的开国君主成汤。铭，刻在器皿上的铭文。［2］

苟日新：苟，假如、如果。新，"更新""使新""弃旧图新"之意。[3]作新民：此语是周公要求康叔管理改造殷商遗民时说的一句话。作，成为。新民，面貌焕然一新之民。[4]惟：一本作"维"。[5]其极："至善"之意。极，终点、顶点。

【译文】商汤时的《盘铭》文字记载说："假如每天更新自己，则天天保持新的精神面貌，又一天还是新的。"《康诰》说："成为面貌焕然一新的良民。"《诗经》说："周朝虽然是一个旧的邦国，但接受了新的天命。"所以，君子时刻都在极力追求至善至美。

【解读】本章连用三句经典诗文来说明君子弘扬自己的美德，要天天更新自己，让自己每天都是新的，每天都在追求、内省，不只身体上清洁，更从精神上、道德上清洁自己，完善自己，从而达到至善至美。

商汤是商朝开国君主，武力灭夏夺得天下，却施行德政教化百姓，历史上留下赫赫美名，是儒家特别推崇的君王之一。

本章提到的盘是商汤的一件洗澡用具，铭是刻在器物上的文字。在夏商年代，有一种传统：刻文字于器物，寓道理于其中，让人们使用器物时识其文、知其义，从而实现教化。为了让人们牢记这些文字，撰写者不仅让文字扣型、扣意，还融入对仗、排比和比喻手法进行编排，同时注重音韵，使其朗朗上口。

盘铭这句话，精辟简练又蕴含深刻的道理，让人耳目一新，值得再三回味：人是变化的，天天吸收新知识，更新旧观念，每一天的自己相对于过去的自己都是新的，自己这个人就是崭新的，有生命力的，达到"日日新"是依靠极强的毅力坚持下来的结果。

顾炎武在《日知录·自序》中说，"自少读书，有所得，辄记之"，"积三十余年，

乃成一编"。他不仅每天读书，而且每遇难
题必弄懂弄通；发现疑难点，更是反复琢磨，
直到完全明白为止。正因如此，他在十多岁
时就熟读《资治通鉴》，并将其全部抄了一遍，
究其一生所读之书有数万卷，足以装满一间
屋子。天天读，日日新，终让顾炎武成为一
代大家。

清代的袁枚平时十分注重语言积累，他
的许多妙词佳句都是从诸如村夫、僧人等社
会上各类人那里得到的。有一次，在梅花盛
开的时节，树下一个村夫很高兴地对袁枚说：
"你看，梅树有了一身花了！"袁枚听后便
默默记下，久久咀嚼，后来写出了"月映竹
成千个字，霜高梅孕一身花"的名句。还有
一次，一位僧人给袁枚送行，临别之时，他
惋惜地说："可惜园里梅花正盛开，您带不
去！"袁枚受到启发，吟得"只怜香梅千百
树，不得随身带上船"的诗句，一直为人称
道。文字需要积累，妙句源自思考。有文字

源头活水的不停浇灌，才会产生新鲜的语言、有生命力的语言。

"作新民"出自《尚书·周书·康诰》，这里还是引用经典书籍《尚书》作说明。周武王灭商之后，商纣王的后裔武庚被封到卫这个地方做诸侯，武庚不但不思武王的恩典，还联合管叔、蔡叔叛乱。此时武王已逝，周公带兵平定叛乱后，武王之子周成王另封康叔为卫地之君。《康诰》便是康叔上任前，周公给他的临别赠言，希望他能继承前辈周王的美德，敬奉天道，安定民心，使"旧民"（殷商的百姓）能重新振作起来，做新的周朝的百姓。

古圣先贤们在道德教化上向来有着强烈的主体意识和担当，他们在做好自身品德修养的同时，把教化民众视为自己的神圣职责。

为政者实施仁政，宣扬道德教化，引导民众冲破原来的枷锁，自我革新，脱胎换骨，成为新人，成为对社会、对国家有用的人，这是为政者最大的政绩、最耀眼的光环。

第三句引用诗经的句子，意思是说周国虽然是一个古老的诸侯邦国，但它所承担的是上天给予的革故鼎新的历史使命。周国始兴于后稷，居于西北边陲，至古公亶父时迁于岐下，至文王时，集前辈诸贤之大成，敬德保民，选贤任能，开创了周兴的新格局，传至武王，号集天下，推翻商纣，建立了新王朝。周朝之所以被上天授予新的使命，乃是因为它能革故鼎新，自修其德，能把百姓带上富足文明的幸福之路。所以它从地处西北边陲的一个诸侯小国，最终成就了八百年左右的基业。它的新也是建立在德的基础上，而德的核心乃是"亲民"，以民为本就是以德为本，国无德不立，国无民更无以立。

"周虽旧邦，其命惟新"体现的是先秦时期的天命观。楚庄王问鼎的故事便能说明这个问题。春秋中期，楚国势力急剧膨胀，楚庄王北上讨伐陆浑之戎，陈兵于周都洛阳附近阅兵，向周王朝使者王孙满问周王室的鼎之大小轻重，大有取代周朝之意。王孙满斥责道："卜世三十，卜年七百，天所命也。周德虽衰，天命未改。鼎之轻重，未可问也！"（《左传·宣公三年》）一言击退了楚庄王，可见天命观念在先秦时期之重要性。

本章三句话，从个人自新、地方民众图新到一个国家革新三个方面说明要达到至善至美的境界，自我之更新、清洁其精神、完善其道德是必要途径。

传第三章 Commentary 3

《诗》云："邦畿[1]千里，惟民所止[2]。"《诗》云："缗蛮[3]黄鸟，止于丘隅[4]。"子曰："于止[5]，知其所止，可[6]以人而不如鸟乎！"

《诗》云："穆穆文王，於缉熙[7]敬止！"为人君，止于仁；为人臣，止于敬；为人子，止于孝；为人父，止于慈；与国人交，止于信。

《诗》云："瞻彼淇澳[8]，菉[9]竹猗猗。有斐[10]君子，如切如磋，如琢如磨。瑟[11]兮僩[12]兮，赫兮喧兮[13]。有斐君子，终不可谊[14]兮！"如切如磋者，道学也；如琢如磨者，自修也；瑟兮僩兮者，恂栗[15]也；赫兮喧兮者，威仪也；有斐君子，终不可谊兮者，道盛德至善，民之不能忘也。

《诗》云："於戏[16]前王不忘！"君子贤其贤而亲其亲，小人乐其乐而利其利，此以没世不忘也。

In the *Book of Poetry*, it is said, "The royal domain of a thousand li is where the people rest." In the *Book of Poetry*, it is said, "The twittering yellow bird rests on a corner of the mound." The Master said, "When it rests, it knows where to rest. Is it possible that a man should not be equal to this bird?"

In the *Book of Poetry*, it is said, "Profound was King Wen. With how bright and unceasing a feeling of reverence did he regard his resting places!" As a sovereign, he rested in benevolence. As a minister, he rested in reverence. As a son, he rested in filial piety. As a father, he rested in kindness. In communication with his subjects, he rested in good faith.

In the *Book of Poetry*, it is said, "Look at that winding course of the Qi, with the green bamboos so luxuriant! Here is our elegant and accomplished prince! As we cut and then file; as we chisel and then grind: so has he cultivated himself. How grave is he and dignified! How majestic and distinguished! Our elegant and accomplished prince never can be forgotten." That expression—"As we cut and then file" indicates the work of learning. "As we chisel and then grind" indicates that of self-culture. "How grave is he and dignified!" indicates the feeling of cautious reverence. "How commanding and distinguished!" indicates an awe-inspiring deportment. "Our elegant and accomplished prince never can be forgotten" indicates how, when virtue is complete and excellence extreme, the people cannot forget them.

In the *Book of Poetry*, it is said, "Ah! the former kings are not forgotten." Future princes deem worthy what they deemed worthy, and love what they loved. The common people delight in what delighted them, and are benefited by their beneficial arrangements. It is on this account that the former kings, after they have quitted the world, are not forgotten.

【注释】[1]邦畿(jī)：都城直辖的区域。[2]止：居住。[3]缗(mín)蛮：即"绵蛮"，鸟鸣叫的声音。一说为鸟斑纹美丽的样子。引自《诗经·小雅·绵蛮》。[4]止于丘隅：止，栖息。丘隅，山坳间。[5]于止：这里指鸟栖息的巢穴。[6]可：同"何"。[7]於缉熙：於(wū)，感叹词。缉，继续，这里可理解为"不间断"的意思。熙，光明，这里有"明德"之意。[8]淇澳(yù)：淇水弯曲处。淇，淇水。澳，通"隩"，指河水弯曲的地方，《诗经》原本作"奥"。[9]菉(lù)：同"绿"。[10]斐：有文采的样子，这里可理解为"文质彬彬"。《诗经》中作"匪"，当为斐的借字，《尔雅》引用此句时作"斐"。[11]瑟：这里为庄重的样子。[12]僴(xiàn)：威严的样子。[13]赫兮喧兮：赫，光明的样子。喧，同"晅"，借为"烜"，显赫的样子。[14]

諠(xuān)：通"谖"，忘记。[15]恂栗(xún lì)：恐惧战栗。[16]於戏(wū hū)：同"呜呼"。叹词。

【译文】《诗经》说："都城及其周围的千里辖区，都是百姓可居住的地方。"《诗经》又说："欢快鸣叫的黄鸟，栖息在山坳间。"孔子感慨说："黄鸟都知道该在何处栖息，怎么人还不如一只鸟儿知道栖身之处吗？"

《诗经》说："庄严肃穆的文王啊，始终光明磊落，以诚敬之心不断努力至善！"做国君的，要做到仁爱；做臣子的，要做到诚敬；做子女的，要做到有孝心；做父亲的，要做到慈祥；与他人交往，要做到讲信誉。

《诗经》说："瞭望淇水弯曲处，绿色的竹子郁郁葱葱。一位文质彬彬的君子，研究学问就像治骨器不断切磋，修炼自己就像治玉器反复琢磨。他庄重又威严，光明又显赫。如此文质彬彬的君子，终究不可忘记啊！"

君子賢其賢而親
其親小人樂其樂
而利其利

語出大學傳三章 張仲亭書

录《大学》句 张仲亭 书

这里所说的如切如磋，是指专心研究学问；如琢如磨，是指自我修炼；说他庄重又威严，是指他使人畏服；说他光明又显赫，是指他显示出的威仪；如此文质彬彬的君子，终究不可忘记啊！他追求高尚品德达到了至善的境界，使人难以忘怀。

《诗经》说："啊！前代的君王是不会被人忘记的！"君子应该尊重可以尊重的贤人，亲近可以亲近的族人，平民百姓也能享受安乐，获得利益，因此人们才永远不会忘记他们。

【解读】本章重在通过引用《诗经》中的诗句来解释止于至善。

止于至善，首先要知善、向善。"邦畿千里，惟民所止"出自《诗经·商颂·玄鸟》，全诗是祭祀时的颂歌，诗中既叙述了殷商的始祖契诞生时的神话传说，又歌颂了商汤建功立业，殷高宗武丁中兴的伟绩。通过所引诗句，可以看出当时商朝疆域纵横千里，非常辽阔，百姓们争先恐后前来投奔，这说明商朝当时政治清明、国泰民安，是百姓安居乐业的家园。同时，也可以看出商朝君王胸怀天下黎民。对于人民来说，心中向往的美好至善之地，不仅仅是肥沃的土地，还有君王的王政清明；对于君王来说，实行仁政，以民为本，国土再大，也要依靠人民，只有赢得民心，才是真正强大的王者，所以，施行仁政就是至善。历史上，任何王朝的兴衰莫不由此，汤武革命就是很典型的例子。夏桀贪图享乐，荒淫残暴，使得民怨沸腾，而他却自以为是，认为自己的统治如同太阳照耀大地，只有太阳灭亡，他才会灭亡。殊不知百姓早已发出呐喊："时日曷丧，予及汝偕亡！"意思是说，你几时灭亡，我情愿与你同归于尽。夏桀最后被广施仁政的商汤起兵推翻，放逐而死。同样的事情也发生在商末亡国之君纣王身上。商纣王宠爱妲己，残害忠良，私享酒池肉林，滥设炮烙之刑，最后同样被厚积仁德的周武王推翻，身死国灭。商汤、周武王则由于推行仁政，而深受百姓拥护，成功夺取天下。历史的兴衰更替反复证明，只有施行仁政才能够赢得百姓，夺取天下。

"缗蛮黄鸟，止于丘隅"，出自《诗经·小雅·绵蛮》，全诗以咏叹黄鸟起兴，反复咏叹旅途行役者的劳苦艰难。诗共三章，除本句外，第一章开头"缗蛮黄鸟，止于丘阿"，第三章开头"缗蛮黄鸟，止于丘侧"，都是反复咏叹黄鸟的自由自在，这也难怪会使得孔子有人不如鸟的感叹。是呀，连鸟都知道山林才是自己的安乐之所，徜徉于山林之中，它才能够无忧无虑地飞翔，作为人又怎么能够不如一只黄鸟呢？人又该选择怎样一处所在来安放心灵呢？田园诗人陶渊明在《桃花源记》中，就为我们创设了一个与世隔绝的桃源胜境，那里"芳草鲜美，落英缤纷"，那里"土地平旷，屋舍俨然，有良田美池桑竹之属"，那里的人们"黄发垂髫，并怡然自乐"，这简直就是一片梦幻般的王道乐土，成为我们心中永远向往的圣地。我们不仅要有对美好乐土的向往，更要有对美好道德修养的执着。孔子曾说："里仁为美。择不处仁，焉得知？"（《论语·里仁》）是说选择住处，就要选择有仁德之处，从而促进自己道德修养的提高。《孟子·离娄下》说："人之所以异于禽兽者几希，庶民去之，君子存之。舜明于庶物，察于人伦，由仁义行，非行仁义也。"意思是说，人区别于禽兽的地方只有一点点，一般的人丢弃了它，而君子保存了它。舜明白万事万物的道理，明察人伦关系，因此能遵照仁义行事，而不是勉强地施行仁义。孟子告诉我们，作为一个人，最难能可贵的就是对仁义道德的坚持。尤其是在物质高度发达的当今社会，如果我们丧失了对理想信念的坚持与追求，我们就会在灯红酒绿的纷繁世界中，迷失生命的方向，坠入罪恶的深渊。

每个人都要不断提高自身的道德修养，努力使自己达到至善境界。虽然想成为真正的完美无缺的圣人可谓困难重重，但是"人皆可以为尧舜"，绝对不能放弃对完美道德修养的孜孜追求。心中有追求，我们也就有了努力奋斗的目标，我们的人生与事业才会不断走向辉煌。"达则兼善天下"，将我们的仁心推及天下，施行仁政，这也是努力使我们达到至善境界的途径。

为了达到至善的目标，我们应该从哪些方面去努力践行呢？下文给予了解答。"穆穆文王，於缉熙敬止！"出自《诗经·大雅·文王》，全诗通过追述文王的功业德行，歌颂了周王朝的奠基者周文王姬昌。所引诗句表现了周文王孜孜以求，努力向善、止于至善的高贵精神品格。由周文王以诚敬之心努力向善，扩而广之，将社会各层次"所止"情形分为五种：人君应"止于仁"，人臣应"止

于敬"，人子应"止于孝"，人父应"止于慈"，
与别人交往应"止于信"。在当今社会中，
人们之间的关系当然不仅仅局限于以上几种
情形，并且随着社会的发展，其中一些人际
关系已经不复存在，比如人君与人臣的关系。
但是，诗中提到的仁、敬、孝、慈、信这五
个方面却渐渐固定为人们立身处世的基本操
守，成为我们中国人修身、齐家、治国的基
本准则。身处领导岗位的官员，如果身在其
位，却不能心怀仁爱、心系民生，不能坚持"为
人民服务"的为官宗旨，又怎么能够成为一
个合格的官员呢？在单位里，如果没有对上
级领导的尊敬，我们又怎么协调上下级关系，
将工作做好呢？父慈子孝、朋友诚信，更应
该成为普遍遵守的社会准则。身处社会之中，
我们每个人都会扮演多种角色。想要达到至
善之境，不仅要在仁、敬、孝、慈、信这五
个方面勤于修炼，还要在恭、俭、让等其他
方面努力提升。

周文王姬昌　吴泽浩　绘

"瞻彼淇澳，菉竹猗猗。有斐君子，如切如磋，如琢如磨。瑟兮僴兮，赫兮喧兮。有斐君子,终不可谖兮!"引自《诗经·卫风·淇奥》，诗共三章，反复咏叹了当时一位品德高尚的士大夫卫武公。引文中说卫武公像用刀锉制作骨器一般来钻研学问，像雕制玉器一般反复打磨、提高自我修养，方才达到品德高尚的至善境界，受到世人敬仰。要想达到至善境界，必须像卫武公一样不懈努力。"玉不琢，不成器"，任何美玉都需要反复雕琢；任何精美的瓷器，都需要经过烈火淬炼。同样，一个人学问学识的增长、道德修养的提高，也都需要付出坚持不懈的努力。染黑的墨池成就了"千古书圣"王羲之；贾岛的苦吟与韩愈的"推敲"，留下了千古佳话；程门立雪，不仅有对道德学问的孜孜以求，还有传道授业的师道尊严。历史发展到当代，陈景润无数次的演算，终于攻克了"哥德巴赫猜想"；袁隆平的试验稻田，结出了全世界摆脱饥饿的希望硕果；屠呦呦的实验室里，诞生了人类克服疟疾的灵药……他们取得的成就让我们钦佩，他们的高尚品德让我们敬仰。

"於戏！前王不忘！"出自《诗经·周颂·烈文》，此诗是周朝人怀念周文王、武王而作。诗中表达了对先王的追思，同时告诫后人，尤其是分封的诸王不要忘记先王的教诲，小心谨慎治国，以使周朝世代绵长。所引诗句的意思是在感叹文王、武王虽去世已久，而天下之人至今犹思慕他们，终不能忘！面对达到至善境界的圣人贤君，作为后人的我们将永远心怀尊敬与思念。从他们身上，我们看到了学习的榜样，找到了前进的方向。

总之，何谓至善？内则明明德，就是不断培养完善内心的美好品德；外则亲民，就是能够将美好的品德推己及人，将个人的善德转化为善政，推广到身边的人、社会上的人，将"明明德"与"亲民"两者结合起来，使自己达到"内圣外王"的至高生命境界。

传第四章

子曰："听讼[1]，吾犹人[2]也，必也使无讼乎！"无情[3]者不得尽其辞[4]。大畏民志[5]，此谓知本[6]。

The Master said, "In hearing litigations, I am like any other body. What is necessary is to cause the people to have no litigations." So, those who are devoid of principle find it impossible to carry out their speeches, and a great awe would be struck into men's minds;—this is called knowing the root.

【注释】[1]听讼：听，指审理。讼，诉讼。[2]犹人：如同别人一样。[3]无情：没有真实情况，寓意"隐瞒实情"。[4]尽其辞：竭尽申辩，这里有"狡辩"之意。[5]民志：这里指民众的诉讼之心。[6]知本：知道根本。

【译文】孔子说："审理诉讼案件，我与其他人是一样的，必定要使当事人不再发生诉讼呀！"（这就是说）隐瞒实情的人不得强词夺理地进行狡辩。要使他们畏惧百姓的舆论，这叫作知道了根本的道理。

【解读】本章一开始便以孔子"听讼"事件为例来说明什么是"知本"，何为"知本"？所谓的"知本"，就是知道根本。"根本"又是什么？"物有本末，事有终始。"事物都有根本有枝末，事情都有开始有终结。本就是事物的根本和根源，也是解决问题最关键之处。只有抓住事物的根源，才能真正地去解决问题。

孔子审理案子，追求公平公正，让掩盖真相之人无处可辩，让人们心服口服。孔子听讼的最终目的是希望天下"无讼"。要想做到天下无讼，需要治理国家的人"为政以德"，公平公正，"道之以礼"，对人们进行教化。孔子认为，之所以有案件发生，一是为政者缺乏公平公正，二是有些人不够真诚。因此，为政者要有一颗善良之心、仁爱之心，要教化民众"知本"，仁爱真诚，这才是根本，这样就能做到"无讼"，杜绝案件发生。

本章引用孔子"听讼"一事，更清楚地说明了"知本"的含义，起到了很好的铺垫作用。"知本"，就是从根本上去改变人们的思想，让人们成为有道德的人。一个有道德修养的人，一定是一位有良知的人，与人为善的人，诚实守信的人，乐于助人的人，团结友爱的人。

我国古代伟大的圣人，一直秉承着教化民众的思想，来美化社会，净化人们的心灵，以达到上下和谐的程度。那么，圣人提倡的"知本"，有哪些特点呢？

儒家思想是我国传统文化的主流思想。儒家思想以"仁、义、礼、智、信、忠、孝、悌"

为核心。仁，是仁爱；义，是义气；礼，是礼节；智，是智慧；信，是诚实守信；忠，是忠实忠诚；孝，是孝顺父母；悌，是敬爱兄长。

仁爱是社会文明进步不可缺失的部分，人类对于"仁爱"的倡导，几千年来从未改变。宋代朱熹引孔氏语强调："任者，以天下为己责也。"（《孟子集注·万章章句下》）把天下事当作自己的责任，这是儒家思想一贯推崇的最大的仁爱。战国时期的韩非子说："仁者，谓其中心欣然爱人也。"（《韩非子·解老》）西汉司马迁说："仁者爱万物，而智者备祸于未形，不仁不智，何以为国？"（《史记·赵世家》）

鲁国有一个简朴吝啬的人，用简陋的陶器煮好了食物，自认为很好，就给孔子送去了。孔子高兴得像接收到国君的太牢祭品一样，子路却不以为然。孔子说："喜好吟唱诗歌的人能想到国君，吃到美食的人能想到亲人。我并不是注重器物本身啊！"俗语说：千里送鹅毛，礼轻情意重。富人帮助你一百元与穷人帮助你一元，尽管数额不同，其仁爱之心是相同的，不可区别高下。

"老吾老以及人之老，幼吾幼以及人之幼。"《孟子·梁惠王上》中的这句话，时隔两千多年仍被广泛传诵。爱自己的老人与孩子，也能爱别人的老人与孩子。这是一种大爱，拥有爱心之人定有广阔的胸怀，定有能感化世人的美好品德。

儒家思想，一直以"仁爱"为核心。孔孟所倡导的仁爱主张，是一种大爱，不仅要爱自己的家人朋友，也要爱别人，甚至是素不相识却需要帮助的人。这种爱不仅能让彼此之间感到温暖，也能让彼此之间更加信任，关系更加融洽。仁爱是人与人之间真诚对待之心，是帮助他人时的善良、仁慈之心，是产生矛盾时的宽容理解之心，是当别人遭受磨难时的同情怜悯之心。仁爱，是对一切美好品质的高度概括。拥有仁爱之心便是"知

本"，只有仁爱才可解决诸多问题，让人们
变得善良、真诚、友好，敬老爱幼，团结互助，
从而促进家庭和谐、社会安宁。

人是社会中的人，社会是是由众多的人
组成的。社会的发展离不开人，社会的进步
是人创造的，只有心怀仁爱之心才能推动社
会的文明进步。

春秋战国时代，礼崩乐坏，天下大乱，
是一个赤裸裸的以强凌弱的时代，各国的当
权者无不充盈着以满足私欲为目的的急功近
利的冲动，"天下无道,则礼乐征伐自诸侯出"。
无"知本"社会是怎样的？彼时国家四分五裂，
诸侯争霸，战火不断，民生凋敝，饿殍遍野，
百姓生活在水深火热之中。

孔子，就出生在这样一个礼乐崩坏、社
会无序的时代。他本为布衣，脚下无一寸的
封土，手中无一兵一卒，胸中却怀有普救天
下苍生的宏伟志向。

然而，在当时的鲁国，三桓当政，孔子

《大学》插图

子曰：听讼吾犹人
也，必也使无讼乎。
孔子说，审理诉讼
案件，我与其他人
是一样的，必定要使
富事人不再发生诉
讼呀。戊及庚子之春
巍山楷生画之

听讼　徐永生　绘

与三桓结下了不可调和的矛盾，对当时的鲁国失去了信心。对鲁国现状不满的孔子最终辞官，离开了鲁国。

一心为国、胸怀天下苍生的孔子，为何要离开生他养他的故土呢？为何要离开亲人朋友，踏上漫长的周游列国之路呢？皆是因为当时鲁国混乱的社会秩序与失礼失节的种种行为，已经到了让孔子无可奈何的程度。然而孔子周游列国十四年，其政治理想并未实现，因为诸侯眼中只有利益，没有仁爱。

孔子所宣扬的"仁爱"主张，具有永恒的社会实践价值。无论时代怎样变迁，人类社会对美好道德的追求从未改变。

现代社会中，我们仍然要提倡"知本"。当今社会，经济蓬勃发展，社会文明也在不断进步。然而，社会中一些不文明、不和谐的现象仍然存在。

比如，马路上，摔倒的老人、孕妇，甚至遭受车祸之灾的受害者，奄奄一息之际，却无人敢近前帮扶。还有"碰瓷""医闹"等现象。是什么原因导致了这些现象的发生？是道德还是良心的丧失？是欲望，还是利益？导致这些现象屡屡出现的原因可能是复杂的、多方面的。不"知本"，没有仁爱之心，恐怕是最主要的原因。

　　一个社会的安定团结，需要全社会的共同努力。一个社会的文明进步，同样需要每个社会成员奉献爱心，团结互助，真诚信任。儒家思想主张的使民"知本"，具有重要意义。社会的发展需要全社会的人拥有孔子"听讼"的心，去懂"知本"，去诠释"知本"的真正含义。实现社会公平公正，人人友爱相处，社会定会长治久安，呈现一派和谐繁荣的景象。

传第五章

Commentary 5

此谓知本。此谓知之至也。

This is called knowing the root. This is called
the perfecting the knowledge.

【译文】这就叫懂得根本。这就是达到了知识
的最高境界。

【解读】本章只有极为简短的两句话。

第一句话是说，这就是"知本"。此为
上一章最后一句话的重复。朱熹《四书章句
集注》引程颐的注释说："衍文也。"也就
是说，朱熹赞同程颐的见解，也认为这句话
是后世在传抄或印书过程中多出来的文字。
此说有其合理性，基本可取。

第二句话说，这就叫知识达到了顶点。
其实，这句话很像是一段文字的结语，前面

应该有一段文字，只不过在流传过程中缺失了。朱熹《四书章句集注》就注释说："此句之上别有阙文，此特其结语耳。"朱熹还根据程颐的解说对阙文作了如下补充："所谓致知在格物者，言欲致吾之知，在即物而穷其理也。盖人心之灵莫不有知，而天下之物莫不有理，惟于理有未穷，故其知有不尽也。是以大学始教，必使学者即凡天下之物，莫不因其已知之理而益穷之，以求至乎其极。至于用力之久，而一旦豁然贯通焉，则众物之表里精粗无不到，而吾心之全体大用无不明矣。此谓物格，此谓知之至也。"

朱熹的意思是说，要想获得知识，就必须认识、研究事物，就必须接触事物而彻底穷尽它的道理。人的心都是灵动的，都具有认知的能力，而天下的事物都有一定的道理，只不过这些道理还没有被彻底认识，所以人的知识才如此有限。《大学》一开始就教人去认识事物、研究事物。只有经过长期的努力探索，才能把事物的外观、内涵等道理认识得清清楚楚。这也就是知识达到了顶点。朱熹以程子之意进行此种补义，徐复观先生评价道："朱元晦对致知格物的补义，如后所述，实含有两大意义；尽管未必为《大学》原义所有，但亦可谓为《大学》原义的引申推拓；最低限度，这是儒家重知识一面的重大发展，所以并不必为《大学》原义所拒绝。"（《中国人性论史》）

　　本章简短的两句话，不仅告诉了我们要知道事物的本末，做一个有道德之人；还告诉了我们怎样去认识事物，认真探究事物的真相，从中获取知识，懂得道理。同样，做任何事情，都应该像追求知识一样，有一种坚持不懈的科学态度，不断去思考、去发现、去探求，才会有新的收获和突破。

传第六章

　　所谓诚其意者，毋自欺也，如恶恶臭 [1]，如好好色 [2]，此之谓自谦 [3]，故君子必慎其独也！小人闲居为不善，无所不至，见君子而后厌然 [4]，掩其不善，而著 [5] 其善。人之视己，如见其肺肝然，则何益矣。此谓诚于中，形于外，故君子必慎其独也。

　　曾子曰："十目所视，十手所指，其严乎！"富润屋，德润身，心广体胖 [6]，故君子必诚其意。

　　What is meant by "making the thoughts sincere" is the allowing no self-deception, as when we hate a bad smell, and as when we love what is beautiful. This is called self-enjoyment. Therefore, the superior man must be watchful over himself when he is alone. There is no evil to which the mean man, dwelling retired, will not proceed, but when he sees a superior man, he instantly tries to disguise himself, concealing his evil, and displaying what is good. The other beholds him, as if he saw his heart and reins;—of what use is his disguise? This is an instance of the saying—"What truly is within will be manifested without." Therefore, the superior man must be watchful over himself when he is alone.

The disciple Zeng said, "What ten eyes behold, what ten hands point to, is to be regarded with reverence!" Riches adorn a house, and virtue adorns the person. The mind is expanded, and the body is at ease. Therefore, the superior man must make his thoughts sincere.

【注释】［1］恶恶臭（wù è xiù）：厌恶污浊的气味。臭，气味。［2］好好（hǎo hǎo）色：喜欢美色。［3］谦：通"慊（qiè）"，满足，心安理得。［4］厌然：躲避的神态。［5］著：显明。［6］心广体胖（pán）：心胸开阔，外貌安详的样子。胖，安泰舒适。

【译文】所谓使意念真诚，就是不要自己欺骗自己，如同厌恶污浊的气味，如同喜爱美色一样，这就叫作心安理得，所以君子必须谨慎地对待独自一人时的言行！小人闲居之时多有不良的举动，什么坏事都可做出，见到君子之后就有躲避的神态，掩盖其不良的行为，而显明自己的优点。别人审视自己时，如同看见你腹中肺肝，（掩盖对于自己）有什么好处啊。这叫作真诚在于内心之中，体现在外表之上，所以君子必然慎重对待独自一人时的言行。

曾子说："十只眼睛注视着，十只手指示着，这多么严肃啊！"富足了可以装饰房屋，德厚可以修身心，使心胸开阔而身体安泰舒适，所以君子必定要使自己的意念真诚。

【解读】此章为"传"文的第六章，解释"诚意"

这一条目。

明代李卓吾在《四书评》中写道："此篇文字极精，《大学》枢要全在于此。先儒以为人鬼关，王阳明亦说《大学》之道诚意而已矣，都是有见之言。"

诚意，是修身之初，是立身之本，是君子还是小人，需辨之诚意有无，观之存心善恶。

"诚意"本目，系《大学》之关键，略分几条理解：

第一，"毋自欺也"，即君子不会自欺。

一句"毋自欺也"，惊天动地，如同醍醐灌顶。不仅不欺骗别人，更不要欺骗自己，悟得此语，乃立身之本。

不欺骗自己，就是我们的行为忠实于自身的生理反应，路边的垃圾堆如果散发着恶臭，每个路过的人都会急急掩鼻而过，避之唯恐不及。不欺骗自己，就是我们会诚实地说自己既喜欢桃红柳绿的风景，也会喜欢浓妆淡抹的美人。美人、美景，皆秀色可餐，一切发自内心。

君子拥有赤子之心，独处之时尚且谨慎笃诚，"则内无忧虑，外无畏惧"，自己惬意满足，如"云无心以出岫"，悠然卷舒，悠游惬意；与人相处时也会让别人感受到通体舒泰，容易亲近。所以，一个品德高尚的君子，哪怕是一个人独处的时候，也能谨慎守正。君子不自欺，推己及人，己达达人，则社会和谐，天下太平。

第二，警惕伪君子掩耳欺人。"小人闲居为不善，无所不至，见君子而后厌然，掩其不善，而著其善。"

君子独处，内心善良真诚，表里如一。而小人独处，则会觉得无人监督，而任我所为，任性放荡。他们往往心中充斥着恶念，并逐渐养成一些恶习，"无所不至"，五毒俱全。有时候在君子面前也会自惭形秽，却难以真心悔改。因此，他们在大庭广众面前为了迷惑别人，往往刻意伪装自己，掩盖自己的不良行为。表面上道貌岸然，实则从不认真检讨自身行为，成了不折不扣的伪君子。这种有了隐蔽性的伪君子比赤裸裸的真小人对社会的危害更大。因为他们深藏心机，巧妙伪装，给人以"善"的表象，很能迷惑人，有的还可能靠善于钻营爬到了高位。

小人内心的邪恶似堆积的污垢，欲望的心魔让人变得面目狰狞，为了一己之私，可以置他人甚至国家和民族利益于不顾。这让我们想起清代弄权敛财的贪官和珅。和珅贪欲无度，贪腐数额震惊世人，最终身死牢狱，家财充公，以至于民间流传"和珅跌倒，嘉庆吃饱"的民谣。正应了《红楼梦》中的一句话，"甚荒唐，到头来都是为他人作嫁衣裳"（《红楼梦》第一回）。

"人之视己，如见其肺肝然，则何益矣。"群众的眼睛是雪亮的，在人民群众的审视下，小人们肯定会露出狐狸的尾巴，无处遁形。纵使也有"周公恐惧流言日，王莽谦恭未篡时"

的情形，但朗朗乾坤，君子和小人之别终有大白于天下之时。所以，追求做君子，在独处的时候，要谨慎地关照自我，"见贤思齐，见不贤而内自省"。

第三，正心诚意，需要"慎独"。

慎独，就是在独处时仍谨守道德之心。梁漱溟先生说："儒家之学只是一个慎独。"（梁漱溟《人心与人生》）可知这位儒学大师对"慎独"十分重视。

《诗经·大雅·思齐》："雍雍在宫，肃肃在庙。不显亦临，无射亦保。"是说文王不管在宫殿还是在宗庙，处处以身作则，为人表率。即使身处幽隐之处，亦是小心翼翼，而不为所欲为，因为他觉得再幽隐的地方也有神灵的眼睛在注视着，因此文王时时处处、孜孜不倦地保持美好的节操，谨守自己的道德高地。这就是圣王的"慎独"。

要做到"慎独"，一要反省善恶，谨守善道；二要心存忧患，未雨绸缪。

"此谓诚于中，形于外，故君子必慎其独也。"是说真诚在于内心之中，体现在外表之上，所以君子必然慎重对待独自一人时的言行。也就是说要经常反省自我，才能更好地做到表里如一。曾子曰："吾日三省吾身。"君子独处，时刻都要反省自己，解剖自己，看看自己是不是真实、诚恳，有无恶念滋生。比如射箭脱了靶，是怪靶子不正呢，还是怪自己学艺不精呢？我们当然应该"反求诸己"，从自己身上找原因。但是现实生活中，有不少人，出现了问题不自觉地都是寻找外部原因——没有考出好成绩，怨天怨地，怨同学、怨老师、怨环境，就是不找自己的原因；生病了，没治好，恨天恨地，恨医生、恨护士、恨器械。自我意识膨胀了，眼里就没有了世界。鲁迅先生说："我的确时时解剖别人，然而更多的是无情地解剖我自己。"我们每个人真的应该学一学鲁迅先生，经常真诚严格地做自我反省。

慎独　岳海波　绘

曾子曰："十目所视，十手所指，其严乎！"十只眼睛在看着你，十只手在指着你，这不是很严肃的监督吗？这其实也就是说"人在做，天在看"。

当你认识到自己的问题之后，接着就要果决地驱除恶念，谨慎地坚守善道。经常听人说，胜人易，胜己难。的确，生命中最难战胜的就是自己。不过，历史长河之中，古圣先贤，多有"慎独"之楷模。

"复圣"颜回，箪食瓢饮，穷居陋巷。民间传说他曾路遇金子，上面有字：天赐颜回一锭金。颜回说了句"外财不富命穷人"，弃而不顾。清贫自守，千古流芳。

东汉杨震，通晓经典，淡泊名利，人称"关西孔子"。升迁东莱太守，途经昌邑，有人夜送黄金十斤，说："暮夜无知者。"杨震回答说："天知，神知，我知，子知，何谓无知！"坚决拒之。"四知"佳话流芳百世。

东晋吴隐之，做广州刺史，饮贪泉而不

贪，留诗留名："古人云此水，一歃怀千金。试使夷齐饮，终当不易心。"身处易贪之地，走时两袖清风。慎守清廉之心，岭南淳朴大化。

元代许衡，天热外出，口渴难耐，路边有一梨树，行人纷纷摘梨解渴，只有许衡不为所动。有人问他，梨没有主人，为何不摘梨吃。许衡回答说："梨虽无主，我心有主。"一句"我心有主"，掷地有声，可钦可敬。

做到"慎独"，要向楷模学习，见贤思齐，践行善道，经常自我反省，作为常规功课；但也需要"见不贤而内自省也"，当有忧患意识。"忧劳可以兴国"，大禹为了治水，三过家门而不入，终平水患；越王勾践忍辱含垢、卧薪尝胆，三千越甲吞并吴国；唐太宗以史为鉴，虚心纳谏，迎来贞观之治。纵欲享乐、亡国败朝的例子，同样不胜枚举。商纣酒池肉林，武王灭之；南朝陈后主唱罢《后庭花》，国家也随之罢了；唐玄宗"一骑红尘"为杨贵妃，大唐盛极而衰；南唐李后主"凤阁龙楼连霄汉，玉树琼枝作烟萝"，最后只落得愁似"一江春水向东流"。

在独处中不断地反省自我、思虑忧患，把正心诚意与居安思危放在心间，锤炼自己的意志，提升道德水平，约束、规范自己的言行，严于律己，行善不辍，善莫大焉。

如今的市场经济时代，金钱的诱惑铺天盖地，中央反复提倡反腐倡廉，有强烈的现实意义。

第四，以诚立德，成就大德。

"富润屋，德润身，心广体胖，故君子必诚其意。"

有钱了可以把房屋装饰得富丽堂皇、风格多样，可以是北欧式、美式、地中海式，也可以是古典的、中式的、现代混搭式，还可以是私人订制，这叫"富润屋"。

但是屋子不是最重要的，重要的是身心，只有德行才能养护身心。有了品德，德行很高，就能润泽身心。"德不孤，必有邻"，孔夫子弟子三千，以德聚之。即使在困厄之时，仍然紧随左右，不离不弃，这或许就是弘扬光明道德的力量吧！

"南阳诸葛庐，西蜀子云亭。孔子云：'何陋之有？'"（刘禹锡《陋室铭》）茅庐陋巷，有德者居之，光芒耀眼，让人心向往之、顶礼拜之。"心广体胖"是因为有了道德的润泽，心胸开阔了，自然会抛弃蜗角功名，看淡蝇头微利，摆脱物欲羁绊，最终赢得身体和精神的安泰舒适。所以君子必定要使自己的意念真诚，矢志修身，才可拨云见日，变身"新民"，达成至善，成就大德。

传第七章

所谓修身在正其心者，身有所忿懥 [1]，则不得其正；有所恐惧，则不得其正；有所好乐，则不得其正；有所忧患，则不得其正。心不在焉，视而不见，听而不闻，食而不知其味。此谓修身在正其心。

What is meant by "The cultivation of the person depends on rectifying the mind," may be thus illustrated:—If a man be under the influence of passion he will be incorrect in his conduct. He will be the same, if he is under the influence of terror, or under the influence of fond regard, or under that of sorrow and distress. When the mind is not present, we look and do not see; we hear and do not understand; we eat and do not know the taste of what we eat. This is what is meant by saying that the cultivation of the person depends on the rectifying of the mind.

【注释】［1］忿懥（fèn zhì）：发怒的样子。这里可理解为心烦意乱、烦躁不安。

【译文】所说的修身其根本在于端正自己的心志，身体内感到稍有烦躁，则不能端正；稍有恐惧，则不能端正；稍有喜好，则不能端正；稍有忧虑，则不能端正。心思不在应在的地方，即使目有所视也如同没有看见，即使声声入耳也如同没有听到，即使吃下（丰盛筵席）也品不出其中滋味。这就是所谓修身首先要端正自己心志的道理。

【解读】在《大学》中，朱熹谓本章"传之七章，释正心修身"。也就是说，本章的要点在于阐释"正心"对于修身的重要性。在儒家看来，正心是诚意之后的进修阶梯，即使开始的意念是真实、真诚的，但这还不够，还需要端正自己的心志。诚意很容易被人的喜、怒、哀、乐、惧等情感所支配，往往使人成为情感的奴隶而失去本来的意念。从这个意义来讲，所谓"正心"就是"心"要"正"，心正才能理性地对待世间万物，使自己能够与之和谐相处。所以必须加强心智的磨炼，以保持中正平和的心态，言谈举止符合道德规范。

怎样修炼才能达到正心？那就是本章所及"不忿懥""不恐惧""不好乐""不忧患"。

"内圣外王"，是儒家所极力追求的最高境界，也是在中国思想史上熠熠生辉的法宝。"内圣"就是修身养德达到至善的境界，"外王"就是在前面修身的境界达成后，把这种品德付诸政治实践活动呈现的治国安民的行为中去。要达到"内圣外王"的境界，首要在于正心，用理智驾驭感情，不偏不倚，不为外在的因素困扰或迷惑，集中精力修养自己的品性。

从政者的职业道德，根本在于正心。坚持公正，坚守正义，是他们应当遵守的基本准则。古人云："政者，正也。"（《论语·颜

渊》）就是在强调为政必须公正。公正的前
提必须有正心。先秦古籍记载，官长有的以
"正"为名称。如基层官职有"里正""党正"，
宫廷里掌管音乐的官叫作"乐正"，掌管王
宫戒令宫禁事务的官叫作"宫正"。直到唐代，
官职名称"里正"仍在沿用。如杜甫《兵车行》：
"去时里正与裹头，归来头白还戍边。"此"里
正"就是自春秋时期沿袭下来的基层官职，
主要掌管户口和纳税。可见从政官吏的职责
就是"正"。

就让我们从历史的长河中汲取先人的智
慧，来启迪我们的人生吧！

《大学》"正心"章列举了"不得其正"
的四种情况。

第一，"身有所忿懥，则不得其正"。

此句点明了克制心中烦躁情绪的重要性。
一个人情绪不安或怒火太盛，就会破坏内心
的平衡与和谐，从而情绪化明显，导致不能
冷静地看待问题、把握事情的真相。心境平

和很重要，克制自己的情绪，不要感情用事，历来为人们所重视，有人还当作自己的座右铭。据说林则徐曾把"制怒"的条幅悬挂于厅堂，时时以此来警示自己。

人在情绪的支配下，往往难以做出正确的判断，轻者出现失策，过激者导致祸端。《孙子兵法·九变》中谈到"将有五危"，其中一条就是"忿速可侮"。意思是说，将帅性格忿激急于求成，就可能被敌人的侮辱激怒，因而急躁冒进，招致失败。《孙子兵法·谋攻》篇谈到"攻城"时说："将不胜其忿，而蚁附之，杀士卒三分之一，而城不拔者，此攻之灾也。"意思是说，将帅愤怒，命令士兵像蚂蚁一样去爬城墙攻城，士兵死亡三分之一而城还没有被攻克，这是攻城的灾难啊。当然，也有人能够在关键时刻克制自己的情绪，从而避免了不良后果。《史记·淮阴侯列传》记载有这样一个故事：

汉四年，遂皆降平齐。使人言汉王曰："齐伪诈多变，反覆之国也，南边楚，不为假王以镇之，其势不定。愿为假王便。"当是时，楚方急围汉王于荥阳，韩信使者至，发书，汉王大怒，骂曰："吾困于此，旦暮望若来佐我，乃欲自立为王！"张良、陈平蹑汉王足，因附耳语曰："汉方不利，宁能禁信之王乎？不如因而立，善遇之，使自为守。不然，变生。"汉王亦悟，因复骂曰："大丈夫定诸侯，即为真王耳，何以假为！"乃遣张良往立信为齐王，征其兵击楚。

韩信平定齐国，想要做齐王，刘邦非常恼火，破口大骂。但在张良、陈平的提醒下，及时忍住了心中怒火，才没有因自己的一时冲动而铸成大错。

人都有七情六欲，遇到外界刺激，往往难免情绪激动，发火动怒。但是我们不能任由这种激动的情绪放纵，在失去理智的情况下，不计后果地做事。否则，十之八九会后悔。因此，我们在遇到事情、面对矛盾时，要学会克制忍耐，胜不骄，败不馁。要向古代的仁人君子学习，"不以物喜，不以己悲"（范仲淹《岳阳楼记》）。胸怀雅量，包容乾坤。

第二，"有所恐惧，则不得其正"。

恐惧是人与生俱来的情感，无论是谁，面对生老病死，面对纷繁复杂的生活，都难免畏惧。一旦心中产生了恐惧，就会畏惧不前，不知所措，不能坦然面对、临危不乱。恐惧时心情同样难以平静，受此影响，头脑也难保持清醒，这种情况下就很难做出理性的判断。所以心中有所恐惧，人们就难以从容不迫，故而"不得其正"。

《世说新语·雅量》记述了这样一则故事：

　　谢太傅盘桓东山，时与孙兴公诸人泛海戏。风起浪涌，孙、王诸人色并遽，便唱使还。太傅神情方王，吟啸不言。舟人以公貌闲意说，犹去不止。既风转急，浪猛，诸人皆喧动不坐，公徐云："如此，将无归。"众人既承响而回。于是审其量，足以镇安朝野。

谢太傅即东晋人谢安，他是一位政治家，因其胆识与气度而留名青史。他逗留于会稽郡山阴县之东山时，与孙绰、王羲之等人到海上泛舟。突然间风起浪涌，孙绰、王羲之等人哪见过这等场面，十分惊恐，皆嚷嚷着要立即回去。谢安不但没有恐惧，反而意气风发，只顾大声吟唱诗歌而不予理会。掌舵人看到谢安如此神情自若、从容自得，便一直向大海深处驶去。不一会，浪涛更加凶猛，大浪袭来，吓得众人惊慌失措，大喊大叫，乱作一团不肯坐下。谢安沉着冷静地告诉大家：如此乱动，我们大家就会葬身大海！听到谢安这样说，大家马上回到各自的位置坐下。有着如此的胆识与雅量，足以看出谢安具有安邦定国的资质。

这个故事说明，修身达到一定的境界，便会临危不惧，临危不乱。谢安与孙绰等人形成了鲜明的对比，谢安沉着冷静，遇事不乱，固然有其性格原因，但心中无所畏惧，才使他能够坦然面对危机。而孙绰、王羲之等则相反，这就是"有所恐惧，则不得其正"。

第三，"有所好乐，则不得其正"。

古人总结了一条经验，或者说是警示名言：玩物丧志。当一个人对某种事物有着特殊的偏爱，或者过分沉醉于某种喜好之中时，就很难保持中正之心。钟情于一种事物，往往会带有偏见，被情感所左右，就不能客观分析与把握其真相。"壁立千仞，无欲则刚。"特别是一个人有着自己私欲的喜好，他人就可趁此而入，导致自己无法自拔。面对物欲横流、灯红酒绿的现实社会，摆在每个人面前的诱惑不可胜数，唯有保持一颗中正之心，才不会误入歧途。

《尚书·五子之歌》其二有曰："训有之，

内作色荒，外作禽荒，甘酒嗜音，峻宇雕墙。
有一于此，未或不亡。"

此篇大概是说："禹王曾经这样教诲我
们，在宫廷之内不要迷恋女色，在外面不可
沉迷于游猎翱翔。贪恋酒杯和喜欢靡靡之音，
喜好高大的建筑而又奢华雕饰宫墙。只要偏
好其中一项，就没有不亡国的。"

秦始皇修建阿房宫供自己宴饮作乐，结
果二世而亡。汉刘邦当年攻入咸阳，也曾想
贪图享受迷恋宫室，在樊哙、张良的劝阻下
才保持住清醒的头脑，最终完成了大业。唐
玄宗过度沉迷于歌舞，宠爱杨玉环，懈怠国
政，导致"安史之乱"，大唐王朝由盛而衰。
康乐公谢灵运任性妄为，逍遥放纵，生活讲
究奢华，行为多有不逊，终遭谗言被杀。

人的贪欲就像鸦片，吸食的时候飘飘欲
仙，完全忘记了它的危害，当上瘾无法自拔时，
却为时已晚。我们每个人也明白嗜好会带来
过失，却总也逃脱不掉。人生不过百年，如

果不自我克制，纵情享乐，往往会乐极生悲。因此，我们必须加强自身修养，保持一颗纯正之心。一个人只有内心端正，才能不执着于外物侵染，虽处于物欲横流的环境，也可以持盈保泰，释然安生。

第四，"有所忧患，则不得其正"。

这里的"忧患"，是指患得患失，并非人们常说的"忧患意识"。人处世间，有得必有失，有失必有得，这是一种自然规律，故而人们常言"此事古难全"。得失本是人间常理，但有些人却杞人忧天，瞻前顾后，成天忧心忡忡，寝食难安。孔子说"君子坦荡荡，小人长戚戚"，"长戚戚"大概就是指这种人。这种人处处计较，时时盘算，心灵得不到释然，也就无法保持内心的端正，终日在得与失的罗网里蝇营狗苟。

前秦苻朗《苻子》一书曾讲过一个故事，录于严可均《全晋文》卷一百五十二：

夏王使羿射于方尺之皮，径寸之的，乃命羿曰："子射之中，则赏子以万金之费；不中，则削子以千邑之地。"羿容无定色，气战于胸中，乃援弓而射之，不中，更射之，又不中。夏王谓傅弥仁曰："斯羿也，发无不中，而与之赏罚，则不中的者，何也？"傅弥仁曰："若羿也，喜惧为之灾，万金为之患矣。人能遗其喜惧，去其万金，则天下之人，皆不愧于羿矣。"

熟悉历史的人们都知道，后羿是一位实力超群的神箭手，但即便是平常百发百中的他，在得失面前也会发挥失常。可见患得患失，必然导致身心不宁，其中的道理不言而喻。

《小窗幽记》和《菜根谭》里有名言曰："宠辱不惊，闲看庭前花开花落；去留无意，漫随天外云卷云舒。"对事对物，尤其是功名利禄，得之我幸，失之随缘。对于所拥有的，珍惜知足；对于失去的，淡泊无忧，"塞翁失马，焉知非福"，得与失、福与祸都是相依相成的。

总之，所谓"正心"，是告诉我们，对待外物应该豁达淡泊，去掉一切私心杂念，摒弃一切外来的诱惑和干扰，也不要受自己情绪的影响，做到超然物外，始终保持一颗不偏不倚的公正心态。

本章最后给我们指明了"正心"的途径。"心不在焉，视而不见，听而不闻，食而不知其味。此谓修身在正其心。"

这是一种大意境。按常规道理，无论是读书还是做事都需要专注，心不在焉，必定事倍功半。但读书做事的目的是什么？如果一心只是为了升官发财，就有了功利性，就不可能得到"正其心"的结果。所以，这里的所谓"心不在焉"，是为心中没有功利性，不在乎功名利禄，一心只是为了求知求真而达到一种超凡脱俗的心境。司马迁之所以能够写出千古绝唱之《史记》，就在于他能够不为身残所扰，不为功名所困，责无旁贷地担当起历史大任，后来竟然达到忘我的境界。如果一心专注于富贵名禄，就不会有"不虚美、不隐恶"的《史记》诞生。

克己修身要不受外界的影响，做到"视而不见，听而不闻"，才能专心专注，才能正心执中。荀子曾言："心枝则无知，倾则不精，贰则疑惑"。《孟子·告子上》给我们讲了这样一则故事：弈秋是我国历史上一位著名的棋手，他同时教授两名弟子，一人全神贯注专心听讲，不为外界所动；一人却心神分离胡思乱想，一心想着有大雁飞来，好练练自己的射箭本领。后者就没有做到"视而不见，听而不闻"，其结果自然是不如前者的棋艺好。

"食而不知其味"也是讲的同样的道理。当食欲霸占了你的身心，成天想着吃吃喝喝，你是不会专注于修身的。史上传说王安石吃饭只是为了填饱肚子，至于吃的是什么，他

王安石误食鱼饵　吴泽浩　绘

从不关心。无论什么样的聚会筵席，他只吃靠近自己的那盘菜，不是他品尝不出味道，而是他不专注或者不计较美味。最能体现王安石"食而不知其味"真谛的，是王安石误食鱼饵的故事：有一天宋仁宗和群臣举行宴会，大家一边赏花，一边钓鱼。宫里的内侍用金揲盛放鱼饵，放在桌上。结果王安石没有拿它钓鱼，反而一粒一粒吃光了。

能够达到王安石境界的世间少有，只有心神专注的人，才能无意识地做到"食而不知其味"。

传第八章

所谓齐其家在修其身者，人之其所亲爱而辟[1]焉，之其所贱恶而辟焉，之其所畏敬而辟焉，之其所哀矜[2]而辟焉，之其所敖惰[3]而辟焉。故好而知其恶，恶而知其美者，天下鲜矣！故谚有之曰："人莫知其子之恶，莫知其苗之硕[4]。"此谓身不修不可以齐其家。

What is meant by "The regulation of one's family depends on the cultivation of his person," is this:—Men are partial where they feel affection and love; partial where they despise and dislike; partial where they stand in awe and reverence; partial where they feel sorrow and compassion; partial where they are arrogant and rude. Thus it is that there are few men in the world who love and at the same time know the bad qualities of the object of their love, or who hate and yet know the excellences of the object of their hatred. Hence it is said, in the common adage, "A man does not know the wickedness of his son; he does not know the richness of his growing corn." This is what is meant by saying that if the person be not cultivated, a man cannot regulate his family.

【注释】［1］辟：偏颇。［2］哀矜（āi jīn）：哀怜，怜悯。［3］敖惰：傲慢怠惰。敖：通"傲"。［4］硕：丰硕。

【译文】所谓管理好家庭在于修养自己的品德，是因为人对于亲爱的人总有一种偏爱，对于轻视厌恶的人总有一种偏见，对于敬畏的人总有一种偏向，对于怜悯的人也有一种偏向，对于傲慢怠惰的人总有一种偏见。所以喜爱某种人也知道他的缺点，厌恶某种人也知道他的优点，这种人天下罕见啊。因此有谚语说："人看不到自己孩子坏的方面，看不到自己的庄稼丰硕。"这就是所谓自身没有修养就不可以管理好家庭的道理。

【解读】朱熹称本章为传之八章，释"修身齐家"，讲的是修身过程中容易出现的偏颇问题。如何端正态度，冷静客观，避免这些偏颇，是修身齐家成败的关键所在。

《大学》所讲的人的进修阶梯是一个逐渐推进的过程，由内而外。格物、致知、诚意、正心都在自我主观进行，此后的齐家、治国、平天下则从家庭走向社会，从独善其身走向兼济天下。后一过程仍然遵循先小后大的进阶顺序，首先是与自己密切相关的家庭，之后才是国家与天下。中国传统文化特别强调修、齐、治、平的联系，认为只有先做到身修、家齐才能达到国治、天下平，所以历来重视家庭，重视家训教化。早在三千多年前的《周易》卦辞中，就形成了"正家而天下定"

的思想。战国时期"亚圣"孟子也强调，"天下之本在国，国之本在家，家之本在身"。宋代大儒程颐也将治家与治国联系起来，提出天下之治，治家为先；治家之道，以正身为本。家是社会的基本细胞，没有家庭的和睦，就没有一国的安宁。要使家庭充满温馨和谐，最根本的方法，就是要做到自我完善，不断提高自己的品德修养，克服偏见，处事一视同仁。不能被"亲爱""贱恶""畏敬""哀矜""敖惰"五种情感所左右，任何情况下都不能感情用事。

要注意防止的第一种情感偏颇情况，是"其所亲爱而辟焉"。即对自己亲爱的人过于偏爱。

这种情感偏颇也常发生在家庭里。家是构成社会的基本单位，俗话说，家家有本难念的经，这并不是夸大其词，治家并不容易，同样需要智慧。处理好家事，这是针对一家之长而言。他是一个家庭的主心骨，也可以说是家风的引导者，其能力与言行决定着家庭的状况和命运。故而，齐家要"正其心"，最为关键的在于长幼有序、公平公正，只有这样才能保证家庭或者家族的和睦。本章并不反对一家人或一族人的相亲相爱，而是告诫家长要公平理性地对待每一位家庭成员。凡事应该适度，过犹不及。对自己亲近或喜爱的人没有原则地过分关爱和照顾，必然导致有失公允，有时还可能会给家人带来祸患。

这种"亲爱"偏颇如果被带到社会上，将会给国家造成极大的危害。有的领导干部，身居高位，治家不严，妻子儿女飞扬跋扈，一人得道，鸡犬升天。对亲属和身边工作人员进行特殊关照，严重破坏了社会公平公正原则。各级领导干部特别是高级干部必须自觉遵守廉政准则，既严于律己，又加强对亲属和身边工作人员的教育和约束，决不允许搞特权。

要注意防止的第二种情感偏颇情况，是

"其所贱恶而辟焉"。即对自己不喜欢的人缺乏公正客观的态度。

讨厌一个人，往往会对他产生偏见。《论语·颜渊》中子张问孔子如何崇德辨惑，孔子回答说："爱之欲其生，恶之欲其死。既欲其生，又欲其死，是惑也。"这是在告诉我们只靠感情用事明其好恶，是没有好处的，特别是对自己厌恶的人往往存有偏见，横竖看不惯，如此哪还能谈得上公正待人呢？我们不仅要欣赏品德正直的人，也要客观看待自己不喜欢的人，发现他的长处及优点。人不可能一无是处，不能因为人有某个方面的缺点或不足就把这个人全盘否定。

据《史记》记载，舜还是一介平民的时候，不仅被父亲厌恶，还差一点被害。《史记·五帝本纪》中有这样一段记述：

> 舜父瞽叟盲，而舜母死，瞽叟更娶妻而生象，象傲。瞽叟爱后妻子，常欲

杀舜，舜避逃；及有小过，则受罪。顺事父及后母与弟，日以笃谨，匪有解。……舜父瞽叟顽，母嚚，弟象傲，皆欲杀舜。舜顺适不失子道，兄弟孝慈。欲杀，不可得；即求，尝在侧。

舜的父亲偏爱后妻与小儿子，可能是受到后者的挑拨，极其厌恶大儿子舜。虽然舜逆来顺受、极尽孝道，但仍不能得到父亲公正地对待，还常常受到严重的生命威胁。一个家庭有这么一位父亲，是这个家庭的悲哀；一个家族有这么一位族长，是这个家族的不幸；如果让舜父这样的人来治理国家，后果可想而知。

因此，对于今天的领导干部来说，对自己厌恶的人存有偏见是用人大忌。不能因人有缺点而抹杀其优点，更不能因个人恩怨而排斥有德有才之人。用人应有大格局、大境界，唯才是举。

修齊治平

语出大學八目

时在己亥秋月张仲亭书

录《大学》句　张仲亭　书

要注意防止的第三种情感偏颇情况，是"其所畏敬而辟焉"。即对自己敬畏的人的感情偏向。

面对自己所畏惧或尊敬的人，往往不能冷静客观地加以对待而有失公允。修身如果在这方面出现了偏颇，也难以达到齐家的目的。如果这种偏颇被带到社会上，就会给社会带来危害。

任何人都可能犯错误，我们敬畏的人也是如此。不能因为我们敬畏他，就看不到或者有意掩饰其错误。客观评价一个人，功就是功，过就是过，不因其功而掩饰其过，也不因其过而否定其功，这才是正确的态度。

要注意防止的第四种情感偏颇情况，是"其所哀矜而辟焉"。即基于同情心而产生的偏颇现象。

孟子曾言："恻隐之心，人皆有之。"（《孟子·告子上》）对可怜之人怀有同情之心，不单是人之常情，还是我们所倡导的一种社会价值观。但是如果忽略了事情的本质，过度地或一味地同情，往往会产生偏向而有失公允。

例如，法官在判案时，应该以法律为准绳，查清事实，重视证据，杜绝感情用事。这是建立法治社会的基本要求。

要注意防止的第五种情感偏颇情况，是"其所敖惰而辟焉"。即傲慢怠惰产生的偏颇。

一般来说，一个人傲慢自大，很容易令人反感。如果一个人懒惰，我们也会讨厌并疏远他。家庭成员出现这种情况，十分不利于家庭团结，这个道理不言自明。由此产生的偏见，更会给齐家目标造成负面影响。至于社会上，情况则要复杂得多。傲慢懒惰的人，很难与他人和谐共处，必然会游离于群体之外，成为另类。人们对这样的人产生偏见，恐怕也是难以避免的，所以，他也必然会被群体排斥。

但是，也有可能会存在另一种情况。历史上不乏一些恃才傲物的高人贤士，如果带着某些偏见去对待他们，可能就会错失人才了。《三国演义》讲述了一个"三顾茅庐"的故事：诸葛亮躬耕隆中，刘备为了成就大业，求贤若渴，亲自登门拜访，想请诸葛亮出山相助。诸葛亮故意以傲慢之态考验刘备，张飞、关羽都等得很不耐烦，但刘备始终态度谦恭，竭诚以待，最终感动了诸葛亮，于是诸葛亮向刘备献上了三分天下之策。这就是历史上有名的"隆中对"。

张良为黄石公拾履的故事也能给我们一些有益的启示。张良面对黄石公的傲慢无礼，能克制自己的情绪，磨砺了意志，增长了智慧，最终得到黄石公帮助，成为"运筹帷幄之中，决胜千里之外"的汉代杰出人物。

战国四公子中的孟尝君善于养士，用人如器。据《战国策》记载，冯谖做孟尝君门客之初，傲慢无礼、得寸进尺，故意考验孟尝君。孟尝君不但非常宽容，还十分尊重人才，因此赢得了冯谖的忠诚相助。在冯谖的帮助下，孟尝君逢凶化吉，不失其位，"为相数十年，无纤介之祸"（《战国策·齐策四》），全凭冯谖之力。

孟尝君宽容大度，不拘一格收揽人才，还表现在对待"鸡鸣狗盗"之类的小人物身上，用其一技之长而不求全责备。据《史记·孟尝君列传》载：齐孟尝君出使秦国被秦昭王扣留。为了尽快脱身，孟尝君一食客潜入秦营偷出狐白裘，献给秦昭王的宠姬，求其说情。于是孟尝君才得到秦昭王许可，离开秦国。不久秦昭王后悔，派兵追捕。孟尝君夜里逃至函谷关时，无法出关。秦国规定，鸡鸣时分才能开关。紧急时刻，另一食客假装鸡鸣，蒙骗守关士卒打开了函谷关门，孟尝君得以脱险逃回齐国。

以上是本章所列举的影响修身齐家的五种情感偏颇情况。接着，本章进一步总结说："故好而知其恶，恶而知其美者，天下鲜矣！"就是说，待人接物，很少有人能够做到不带偏见，全面客观。片面偏颇正是我们需要注意克服的。

例如处理家庭问题时，既要看到每个家庭成员的优点，也要看到他们的缺点。克服偏见其实是很难的，由此，说明了整治好家庭必须提高自身道德修养的重要性。齐家与治国基本道理相通。人有千差万别，各有长短。真正的智者贤人，用人应该避免偏见，扬长避短，使其各得其所。但人们往往难以摒弃偏见，现实生活中，官居高位的人，对于人才往往苛刻有加，总是抱怨人才匮乏，以各种偏见抛弃、埋没人才，上演了一出又一出千里马骈死马厩的悲剧。俗话说"瑕不掩瑜"，对于人才，不能求全责备，不能因为小缺点就全面否定，而应兼容并蓄，唯才是举，这样才能人尽其用，使得一个组织拥有强大战斗力。

本章最后用了一条谚语作结。"人莫知其子之恶，莫知其苗之硕。"这条谚语后来演化成为一条广泛流传的俗语："孩子都是自己的好，庄稼都是人家的好。"说的就是社会上常见的一种偏见，主观的好恶会严重影响人的判断力。

《韩非子》中讲述了一个"智子疑邻"的故事：

> 宋有富人，天雨墙坏。其子曰："不筑，必将有盗。"其邻人之父亦云。暮而果大亡其财，其家甚智其子，而疑邻人之父。（《韩非子·说难》）

《列子》中也讲述了一个有趣的故事：

> 人有亡铁者，意其邻之子。视其行步，窃铁也；颜色，窃铁也；言语，窃铁也；动作态度，无为而不窃铁也。俄而，抇其谷而得其铁。他日复见其邻人之子，动作态度，无似窃铁者。（《列子·说符》）

这都说明，人容易产生主观偏见。同样的防盗提醒，认为自己的孩子聪明，却怀疑邻人之父。丢失了东西，看别人怎么看都像小偷。这是一种什么心态？情感偏颇导致心态失衡，这样必然很难正确处好人际关系。生活中这样的事情还有很多。俗话说："情人眼里出西施。"情人在热恋的时候，往往无法看到对方的缺点，认为对方一切都是好的，或者选择性忽略其缺点，甚至把缺点也当作优点欣赏。恰如鲁迅先生所说："红肿之处，艳若桃花；溃烂之时，美如乳酪。"（《人生论》）有的父母出于溺爱，觉得自己的孩子什么都好，而无视自己孩子的缺点，出现认识偏差。父母之爱是无条件的，但如果泛滥无度，也会淹没孩子，成为导致孩子养成不良习惯甚至走上犯罪道路的根源。

教育孩子是一门艺术，家庭亦是修身养性的道场。唯有加强修养，避免偏私偏见，公正持家，才能实现家和万事兴，进而在社会上处理好自己与他人的关系，为和谐社会的建设增添助力。

传第九章

所谓治国必先齐其家者，其家不可教而能教人者，无之。故君子不出家而成教[1]于国：孝者，所以事君也；弟者，所以事长也；慈者，所以使众也。《康诰》曰"如保赤子[2]"，心诚求之，虽不中[3]，不远矣。未有学养子而后嫁者也！

一家仁，一国兴仁；一家让，一国兴让；一人贪戾，一国作乱。其机[4]如此。此谓一言偾[5]事，一人定国。尧舜帅[6]天下以仁，而民从之；桀纣帅天下以暴，而民从之；其所令反其所好，而民不从。是故君子有诸己而后求诸人，无诸己而后非诸人。所藏乎身不恕[7]，而能喻诸人者，未之有也。故治国在齐其家。

《诗》云："桃之夭夭，其叶蓁蓁。之子于归，宜其家人。"宜其家人，而后可以教国人。

《诗》云："宜兄宜弟。"宜兄宜弟，而后可以教国人。

《诗》云："其仪不忒 [8]，正是四国。"其为父子兄弟足法，而后民法之也。此谓治国在齐其家。

What is meant by "In order rightly to govern the state, it is necessary first to regulate the family," is this: — It is not possible for one to teach others, while he cannot teach his own family. Therefore, the ruler, without going beyond his family, completes the lessons for the state. There is filial piety: — therewith the sovereign should be served. There is fraternal submission: — therewith elders and superiors should be served. There is kindness: — therewith the multitude should be treated. In the *Announcement to Kang*, it is said, "Act as if you were watching over an infant." If a mother is really anxious about it, though she may not hit exactly the wants of her infant, she will not be far from doing so. There never has been a girl who learned to bring up a child, that she might afterwards marry.

From the loving example of one family a whole state becomes loving, and from its courtesies the whole state becomes courteous, while, from the ambition and perverseness of the one man, the whole state may be led to rebellious disorder; — such is the nature of the influence. This verifies the saying, "Affairs may be ruined by a single sentence; a kingdom may be settled by its one man." Yao and Shun led on the kingdom with benevolence and the people followed them. Jie and Zhou led on the kingdom with violence, and people followed them. The orders which these issued were contrary to the practices which they loved, and so the people did not follow them. On this account, the ruler must himself be possessed of the good qualities, and then he may require them in the people. He must not have the bad qualities in himself, and then he may require that they shall not be in the people. Never has there been a man, who, not having reference to his own character and wishes in dealing with others, was able effectually to instruct them. Thus we see how the government of the state depends on the regulation of the family.

In the *Book of Poetry*, it is said, "That peach tree, so delicate and elegant! How luxuriant is its foliage! This girl is going to her husband's house. She will rightly order her household." Let the household be rightly ordered, and then the people of the state may be taught.

In the *Book of Poetry*, it is said, "They can discharge their duties to their elder brothers. They can discharge their duties to their younger brothers." Let the ruler discharge his duties to his elder and younger brothers, and then he may teach the people of the state.

In the *Book of Poetry*, it is said, "In his deportment there is nothing wrong; he rectifies all the people of the state." Yes; when the ruler, as a father, a son, and a brother, is a model, then the people imitate him. This is what is meant by saying, "The government of his kingdom depends on his regulation of the family."

【注释】［1］成教：成功教化。［2］赤子：婴儿。［3］中（zhòng）：中的，完全符合目的。［4］机：机关。［5］偾（fèn）：破坏，败坏。［6］帅：同"率"。这里有"统率"之意。［7］恕：即儒家所谓"己所不欲，勿施于人"的"恕道"。［8］忒（tè）：偏差，差错。

【译文】所谓治理国家必先管理好自己的家庭，自己的家人都不能管教好而能管教好别人，这是没有的。所以君子不出家门就能完成对整个国家的教育：孝，是侍奉君主应有的原

137

则；悌，是侍奉长者应有的原则；慈，是役使民众应有的原则。《康诰》说："（对民众）如同爱护自己的婴儿一样。"内心真诚地去探求这个原理，即使不完全符合目的，也相差不远。没有先学会抚养孩子后再去嫁人的人啊！

一个家庭内充满仁爱，一国便会兴起仁爱；一个家庭内相互礼让，一国便会兴起礼让；（国君）一人贪婪暴戾，一国便会上下动乱。联动的机关就是如此紧密。这叫一句话可以坏事，一人可以安定国家。尧舜统率天下时以仁爱治国，民众都跟从行仁爱；桀纣统率天下时实施暴虐，民众都跟从行暴虐；他推行的命令与他的嗜好相反时（令民众实行仁爱而自行暴虐），民众就不会服从。所以君子应自己先做到然后才能要求别人，自己先不做然后才能禁止别人。自身有不符合推己及人的恕道的行为，却能教育别人实行恕道，那是不可能的。所以治理好国家的基础在于管理好家庭。

《诗经》说："桃花艳丽盛开，绿叶葱葱茂密。美人欣然来嫁，阖家其乐融融。"全家其乐融融，而后就可以教化一国之人。

《诗经》说："兄弟融洽和睦。"兄弟融洽和睦，而后就可以教化一国之人。

《诗经》说："仪态不出现偏差，方能成为四方之国的表率。"作为父亲、儿子、兄长、弟弟这些家庭角色都可以成为效法的典范，而后民众就会效法。这说的就是治理好国家的基础在于管理好家庭的道理。

【解读】《大学》通篇阐述内修外治之道，即人们常说的"内圣外王"之道。"内修"是指前文所讲格物、致知、诚意、正心，从探究事物的规律到端正自我的心志，就是不断提高与完善个人的道德修养，是自身修养的"内圣"阶段，追求的是能做到"独善其身"。"外治"就是指齐家、治国、平天下，从能够整治自己的家庭到追求天下大同，是道德修养中的"外王"阶段，追求的是实现"兼济天下"的宏愿。这两点是儒家思想最理想的人格追求。

齐家、治国、平天下就是一个人道德修养从修己到外治的功用发挥不断扩展的过程，这三者之中，齐家是整个过程的基础。所以说"家齐而后国治，国治而后天下平"，管理好家庭，天下长治久安的可能性也就具备了。漫长的中国古代封建社会的农耕经济体制，造就了古代中国人独特的政治观和家国观念，形成了儒家"人、家、国"一体的政治构想。在封建社会以家族为中心的宗法制度下，家庭就是社会各种人际关系的缩影，邦国与家庭是密不可分、血肉相连的。可以说家庭就是一个小小的邦国，家长就是君主；邦国也是一个庞大的家庭，国君就是这个大家庭的家长。

所以，"治国必先齐其家者，其家不可

康诰曰
如保赤子
心诚
求之
虽不中
不远矣

窒汶
庚子
孟冬
近翁
辛夷
玉颖题

如保赤子　韦辛夷　绘

教而能教人者，无之"。那就是说要治理好国家必须先治理好自己的家庭。家庭关系都不能很好地理顺，那很难想象他有能力理顺国家。清人刘蓉在《习惯说》中云："一室之不治，何以天下家国为？"说的就是这个道理。

一个人只有先把自己的家庭管理得和谐有序，和睦兴旺，才能有资格与能力去治理国家。一个国家的每个家庭都安康了，那么社会稳定的基础也就有了。假如自己的家庭或家族内部纷争不断，这位家长、族长的个人修养、能力就一定有问题，这样的人是不可能教导好他人的。

从治理家庭到治理国家，基本原则是一致的。先秦时期，"国"和"家"与现代汉语里的意义有所不同，天子分封给诸侯的封地叫作"国"，诸侯分封卿大夫的食邑之地叫作"家"。卿大夫如果都能把自己的食邑封地治理好，必然能使诸侯的邦国和谐安定。

所以本章说"君子不出家而成教于国"。

"成教于国"主要表现在孝、悌、慈三个方面。家庭生活中的各种关系与治国中的关系是相通的。比如"孝",孝敬父母,可以推广到忠于君主,忠于国家;"悌",兄友弟恭,可以推及同事,与他人关系和谐;"慈",充满爱心,可以推及晚辈和下属,使他们信赖你,能够听从你的建议与安排,等等。

家事国事天下事,大小不同,事理却是相通的。能处理好家庭成员之间的关系,就具备了处理好集体、社会、国家各种关系的基本能力。

能够将齐家和治国有机结合的典范,历史上不乏其人。唐朝安史之乱后的唐代宗就是一位将齐家与治国协调好的佼佼者。大将郭子仪率军讨伐安禄山,平定了安史之乱后,因功高望重,被册封为汾阳王,并且唐代宗将女儿升平公主嫁给郭子仪的儿子郭暧为妻。

时值郭氏夫妇八十双寿，家人亲朋相率拜贺，唯升平公主恃尊不出拜寿，引起众人议论，令夫婿郭暧颜面尽失，心生怨恚，乘醉怒打这位"金枝玉叶"。升平公主回到皇宫后，向皇帝和皇后哭诉所受委屈，逼求皇帝治罪于郭暧。郭子仪闻后大惊失色，立即把儿子绑缚上殿来负荆请罪。代宗皇帝面对此事没有意气用事，而是顾全大局，做出了冷静理性处理。他对汾阳王郭子仪笑着说："不痴不聋，不作阿家翁。儿女琐屑事，何必问？"念及郭氏一门有大功于朝，不予治罪，并加封郭暧。皇后亦劝婿责女，小夫妻尽释前嫌，和好如初。而郭子仪更为心慰，谢恩而返，对唐王朝更加忠心耿耿。

《康诰》曰："如保赤子。"这是《尚书》中的话。从家齐到国治的过程中，需要君子之人"如保赤子"，即统治者要像爱护自己的孩子那样去对待民众，而且要发自内心地去这样做。本章在阐述齐家与治国的关系时，表面是论述外治的方法和道理，实际上谈论的还是修身与齐家治国的关系。齐家也好，治国也罢，诚心都是非常重要的。如果一家之长，一国之君，做不到心诚，那么要想实现齐家与治国的目的，哪怕他智慧超群、胆识过人，也会与家齐国治的目标背道而驰。只有诚心具备了，认真做好自己该做的事情，即使不能完全达到目标，也不会相差太远。所谓"心诚求之，虽不中，不远矣"。

古人云："得民心者得天下，失民心者失天下。"得到民心，民众就会拥戴，与之水火相从，江山就能永续；失却民心，众叛亲离，社稷就将倾颓。《孟子》中记载了孟子与滕文公的一段对话，说的就是这个道理：

滕文公问曰："滕，小国也，间于齐、楚。事齐乎？事楚乎？"孟子对曰："是谋非吾所能及也。无已，则有一焉：凿斯池也，筑斯城也，与民守之，效死

而民弗去，则是可为也。"（《孟子·梁
惠王下》）

滕国是个小国，夹在齐楚两个大国中间。
怎样才能保住自己的国家？孟子认为，投靠
任何一个大国，都靠不住，获得本国百姓的
拥护才是正道。要想获得百姓拥护，就要诚
心诚意地爱护百姓，为百姓办实事，办好事。
这样才能得到民心。实际上，这给当政者提
出了很高的要求。

无论齐家还是治国，应该先从诚心做起，
在实践中不断学习，不断完善。"未有学养
子而后嫁者也"，这个比喻很贴切，也很生
动形象。哪有先学会抚养孩子，然后再去嫁
人的？做事情也是如此，不能等到学会了以
后再去做。只要做到心诚，认真对待，问题
和困难总能在实践中得到解决。齐家与治国，
也是同样道理。

"一家仁，一国兴仁；一家让，一国兴

让；一人贪戾，一国作乱。其机如此。"一个家庭推行仁义，大兴礼让，那么这个国家会盛行仁义礼让之风，就会让这个世界充满爱。一个人贪婪暴戾，那么民则为非作乱，国将动荡不安。因为"上有所好，下必甚焉"，统治者的言行举止、家规家风，就是整个社会的风向标，这些势必要求在上位者谨言慎行，能够起到引领示范作用。

榜样的力量是无穷的，同样，坏典型的破坏作用也是巨大的。关键人物的一言一行，可以决定一个家庭甚至国家前途命运的兴衰。尧舜行礼让仁义于天下，国运昌盛；桀纣行暴戾残苛于天下，身死国灭，就是很好的证明。善行必然会有善果，恶行必然会有恶报。《大学》深刻地阐明了这样一个道理，君子必须"有诸己而后求诸人，无诸己而后非诸人"。一个人自己安逸享乐，不思进取，损公肥私，却要求别人兢兢业业，大公无私，吃苦耐劳，那是不可能实现的。正是从这个意义上讲，

《大学》对家庭和个人，特别是居上位的君子提出了更高的要求。己之不正，焉能正人？家之不齐，国必将不治。所以，只有做到胸怀家国、天下为公的人，才能引领大时代，建不世之功业，成千古之高标。

清朝的康熙至乾隆年间出了两位父子宰相，这就是广为人知的张英和其子张廷玉。父子俩是安徽桐城人，为相期间政绩突出，为世人称道，而且桐城张氏举业不断，名宦迭出，其中一个重要原因就是传承仁义礼让之家风。

张英受儒家思想的影响，为人处世谦让当先，益人为本，史称其为人"厚重谦和"。他晚年在龙眠山构筑了"双溪草堂"，与乡民相处，没有一点官架子。遇到担柴人，主动让路，与人方便。他认为，应该善待他人，遇到矛盾要换位思考，做到"推己及人"。张廷玉秉承家风，他要求自己和家人"一言一行常思有益于人，惟恐有损于人"。张英在《聪训斋语》中写道："自古只闻忍与让足以消无穷之灾悔，未闻忍与让翻以酿后来之祸患也。欲行忍让之道，先须从小事做起。"

安徽桐城存有一条著名的六尺巷，此巷彰显了张氏一门礼让之风。据史料记载，桐城张家与吴姓人家比邻而居，中间有一块空地，有一年双方因建房引起一桩产权纷争。张家依仗朝里有人，便向张英投书。张英接悉家书后，回信作诗一首："一纸书来只为墙，让他三尺又何妨。长城万里今犹在，不见当年秦始皇。"家人阅后立即让地三尺，吴家见状也撤让三尺，于是就空出一条六尺宽的街巷。

张英的一封家书，化解了邻里之争，"让他三尺"的礼让美德，让出一条流光溢彩的六尺巷，宰相之风广为流传，成就一段佳话。张英父子推己及人的礼让风度，亦彰显了国之栋梁的大家风范。

一句话，可以成就一件事情，同样也可

以毁掉一件事情。如果心中没有了"仁"和
"让"，自私自利，有着"贪戾作乱"的欲望，
那么就极有可能因一句话使家道败落。上面
所讲宰相张英的家书就是很好的例证，假如
张英不作退让，两家结怨的悲剧必然在所难
免。推而广之，当政者能够施行仁政，让利
于天下百姓，国家就能安定。所以本章说："此
谓一言偾事，一人定国。"

接下来，本章连续引用了《诗经》中的
诗句，来强调齐家的重要性。引《诗》以明理，
是为了增强说服力，这是古人的行文习惯。

首先引用的是《诗经·周南·桃夭》中
的诗句。《桃夭》本是一首祝贺婚嫁的诗歌，
表达对女子出嫁后未来家庭美满生活的祝福，
希望那个新嫁女子能够使家庭和谐、幸福吉
祥。诗以比兴起篇，盛开的桃花，浓密的桃
叶寓意美满的婚姻。"桃之夭夭，其叶蓁蓁。
之子于归，宜其家人。"唐孔颖达疏："夭夭，
言桃之少；灼灼，言华之盛……桃有华之盛者，

由桃少故华盛，比喻此女少而色盛。"毛传云："蓁蓁，至盛貌。有色有德形体至盛也。"朱熹《诗集传》："宜者，和顺之意。……叹其女子之贤，知其必有以宜其室家也。"《大学》此处借题发挥："宜其家人，而后可以教国人。""家和万事兴"，居上位的君子如果能够做到使家庭和谐美满，推而广之，就能教化引导国人和睦相处。

其次引用了《诗经·小雅·蓼萧》第三章中的诗句。《蓼萧》本是诸侯在宴会上祝颂周天子的诗歌。其第三章云："蓼彼萧斯，零露泥泥。既见君子，孔燕岂弟。宜兄宜弟，令德寿岂。"其中有关于兄弟关系和睦融洽的内容，《大学》此处借题发挥："宜兄宜弟，而后可以教国人。"家庭中兄弟友爱，君子推而广之，社会成员之间彼此关心，互相爱护，必将是一个和谐社会。

然后又引用了《诗经·曹风·鸤鸠》中的诗句："其仪不忒，正是四国。"意思是说，容貌举止庄重严肃，成为四方国家的表率。诗人理想中的淑人君子，仪容正派，言行如一，足可以让四方各国效法。《大学》此处借题发挥："其为父子兄弟足法，而后民法之也。此谓治国在齐其家。"一个人仪表严肃，行为端正，在父子兄弟之间做出了榜样，推而广之，就可以影响天下人，从而把国家治理好。

国治的前提是家齐。在传统社会结构中，家国一理，同构同质。国的缩影是家，家的放大是国，家依附于国，是国家的一个个最基本的单元，二者紧密相连。在儒家思想理念中，治家的道理与治国的道理如出一辙。齐家的前提是修身，治国的关键在齐家。君子身修就能做到孝悌兴，礼让行，家庭和，邻里睦，并将此大而化之，推而广之。如此，家齐而后国必兴，天下就能够长治久安。可见，"齐家"对于国家的长治久安具有重要作用。

"注重家庭""注重家教""注重家风"，是中华民族的传统美德，具有鲜明的中国特色。

传第十章

　　所谓平天下在治其国者，上老老^[1]而民兴孝，上长长^[2]而民兴弟，上恤孤而民不倍^[3]，是以君子有絜矩之道^[4]也。

　　所恶于上，毋以使下；所恶于下，毋以事上；所恶于前，毋以先后；所恶于后，毋以从前；所恶于右，毋以交于左；所恶于左，毋以交于右。此之谓絜矩之道。

　　《诗》云："乐只君子^[5]，民之父母。"民之所好好之，民之所恶恶之，此之谓民之父母。《诗》云："节彼南山，维石岩岩。赫赫师尹^[6]，民具尔瞻^[7]。"有国者不可以不慎，辟则为天下僇^[8]矣。

　　《诗》云："殷之未丧师，克配上帝。仪监于殷，峻命^[9]不易。"道得众则得国，失众则失国。

　　是故君子先慎乎德。有德此有人，有人此有土，有土此有财，有财此有用。德者本也，财者末也，外本内末，争民施夺。是故财聚则民散，财散则民聚。是故言悖而出者，亦悖而入；货悖而入者，亦悖而出。

《康诰》曰："惟命不于常 [10]！"道善则得之，不善则失之矣。

《楚书》曰："楚国无以为宝，惟善以为宝。"舅犯 [11] 曰："亡人 [12] 无以为宝，仁亲以为宝。"

《秦誓》曰："若有一个 [13] 臣，断断 [14] 兮无他技，其心休休 [15] 焉，其如有容 [16] 焉。人之有技，若己有之，人之彦圣 [17]，其心好之，不啻 [18] 若自其口出，寔能容之，以能保我子孙黎民，尚亦有利哉！人之有技，媢 [19] 疾以恶之，人之彦圣，而违之俾 [20] 不通，寔不能容，以不能保我子孙黎民，亦曰殆哉！"唯仁人放流之，迸 [21] 诸四夷，不与同中国。此谓唯仁人为能爱人，能恶人。见贤而不能举，举而不能先 [22]，命 [23] 也；见不善而不能退，退而不能远，过也。好人之所恶，恶人之所好，是谓拂^[24]人之性，灾必逮夫身。是故君子有大道，必忠信以得之，骄泰以失之。

生财有大道，生之者众，食之者寡，为之者疾^[25]，用之者舒^[26]，则财恒足矣。仁者以财发身，不仁者以身发财。未有上好仁而下不好义者也，未有好义其事不终者也，未有府库^[27]财非其财者也。孟献子曰："畜马乘不察^[28]于鸡豚，伐冰之家^[29]不畜牛羊，百乘之家不畜聚敛之臣，与其有聚敛之臣，宁有盗臣。"此谓国不以利为利，以义为利也。长^[30]国家而务财用者，必自小人矣。彼^[31]为善之，小人之使为国家，灾害并至。虽有善者，亦无如之何矣！此谓国不以利为利，以义为利也。

What is meant by "The making the whole kingdom peaceful and happy depends on the government of his State," is this: When the sovereign behaves to his aged, as the aged should be behaved to, the people become filial; when the sovereign

大
学

behaves to his elders, as the elders should be behaved to, the people learn brotherly submission; when the sovereign treats compassionately the young and helpless, the people do the same. Thus the ruler has a principle with which, as with a measuring square, he may regulate his conduct.

What a man dislikes in his superiors, let him not display in the treatment of his inferiors; what he dislikes in inferiors, let him not display in the service of his superiors; what he hates in those who are before him, let him not therewith precede those who are behind him; what he hates in those who are behind him, let him not therewith follow those who are before him; what he hates to receive on the right, let him not bestow on the left; what he hates to receive on the left, let him not bestow on the right: — this is what is called "The principle, with which, as with a measuring square, to regulate one's conduct."

In the *Book of Poetry*, it is said, "How much to

be rejoiced in are these princes, the parents of the people!" When a prince loves what the people love, and hates what the people hate, then is he what is called the parent of the people. In the *Book of Poetry*, it is said, "Lofty is that southern hill, with its rugged masses of rocks! Greatly distinguished are you, grand-teacher Yin, the people all look up to you." Rulers of states may not neglect to be careful. If they deviate to a mean selfishness, they will be a disgrace in the kingdom.

In the *Book of Poetry*, it is said, "Before the sovereigns of the Yin dynasty had lost the hearts of the people, they could appear before God. Take warning from the house of Yin. The great decree is not easily preserved." This shows that, by gaining the people, the kingdom is gained, and, by losing the people, the kingdom is lost.

On this account, the ruler will first take pains about his own virtue. Possessing virtue will give him the people. Possessing the people will give the territory. Possessing the territory will give him its wealth. Possessing the wealth, he will have resources for expenditure. Virtue is the root; wealth is the result. If he makes the root his secondary object, and the result his primary, he will only wrangle with his people, and teach them rapine. Hence, the accumulation of wealth is the way to scatter the people; and the letting it be scattered among them is the way to collect the people. And hence, the ruler's words going forth contrary to right, will come back to him in the same way, and wealth, gotten by improper ways, will take its departure by the same.

In the *Announcement to Kang*, it is said, "The decree indeed may not always rest on us;" that is, goodness obtains the decree, and the want of goodness loses it.

In the *Book of Chu*, it is said, "The kingdom of Chu does not consider that to be valuable. It values, instead, its good men." Duke Wen's uncle, Fan, said, "Our fugitive does not account that to be precious. What he considers precious is the affection due to his parent."

In the *Declaration of the Duke of Qin*, it is said, "Let me have but one minister, plain and sincere, not pretending to other abilities, but with a simple, upright mind; and possessed of generosity, regarding the talents of others as though he himself possessed them, and, where he finds accomplished and perspicacious men, loving them in his heart more than his mouth expresses, and really showing himself able to bear them and employ them:— such a minister will be able to preserve my sons and grandsons and black-haired people, and benefits likewise to the kingdom may well be looked for from him. But if it be his character, when he finds men of ability, to be jealous and hate them; and, when he finds accomplished and perspicacious men, to oppose them and not allow their advancement, showing himself really not able to bear them:— such a minister will not be able to protect my sons and grandsons and people; and may he not also be pronounced dangerous to the State?" It is only the truly virtuous man who can send away such a man and banish him, driving him out among the barbarous tribes around, determined not to dwell along with him in the Middle Kingdom. This is in accordance with the saying, "It is only the truly virtuous man who can love or who can hate others." To see men of worth and not be able to raise them to office; to raise them to office, but not to do so quickly:—this is disrespectful. To see bad men and not be able to remove them; to remove them, but not to do so to a distance:—this is weakness. To love those whom men hate, and to hate those whom men love;—this is to outrage the natural feeling of men. Calamities cannot fail to come down on him who does so. Thus we see that the sovereign has a great course to pursue. He must show entire self-devotion and sincerity to attain it, and by pride and extravagance he will fail of it.

There is a great course also for the production of wealth. Let the producers be many and the consumers few. Let there be activity in the production, and economy in the expenditure. Then the wealth will always be sufficient. The virtuous ruler, by means of his wealth, makes himself more distinguished. The vicious ruler accumulates wealth, at the expense of his life. Never has there been a case of the sovereign loving benevolence, and the people not loving righteousness. Never has there been a case where the people have loved righteousness, and the affairs of the sovereign have not been carried to completion. And never has there been a case where the wealth in such a State, collected in the treasuries and arsenals, did not continue in the sovereign's possession.

The officer Meng Xian said, "He who keeps horses and a carriage does not look after fowls and pigs. The family which keeps its stores of ice does not rear cattle or sheep. So, the house which possesses a hundred chariots should not keep a minister to look out for imposts that he may lay them on the people. Than to have such a minister, it were better for that house to have one who should rob it of its revenues." This is in accordance with the saying: — "In a state, pecuniary gain is not to be considered to be prosperity, but its prosperity will be found in righteousness." When he who presides over a state or a family makes his revenues his chief business, he must be under the influence of some small, mean man. He may consider this man to be good; but when such a person is employed in the administration of a state or family, calamities from Heaven, and injuries from men, will befall it together, and, though a good man may take his place, he will not be able to remedy the evil. This illustrates again the saying, "In a state, gain is not to be considered prosperity, but its prosperity will be found in righteousness."

【注释】［1］上老老：上，处于上位的人。第一个"老"为动词，第二个"老"为名称，意为将老者当作老人来对待。［2］长长（zhǎng zhǎng）：第一个"长"为动词，第二个"长"为名词，意为将长辈当作长辈来对待。［3］倍：通"背"，违背，背弃。［4］絜（xié）矩之道："以身作则，推己及人"的原则。絜，是用绳量周围的长度，矩是规范，引申为法度。儒家以絜矩来象征道德上的规范。［5］君子：这里指"国君"。［6］师尹：指周太师尹氏。［7］民具尔瞻：万众瞩目。具，通"俱"，都。［8］僇（lù）：通"戮"，杀戮。［9］峻命：大命，指上帝或帝王的命令。这里为上帝的"天命"。[10]常：固定，常态。[11]舅犯：人名，即晋文公重耳的舅舅狐偃。[12]亡人：流亡的人，指重耳。[13]个：量词，有本作"介"。[14]断断：绝对真诚的样子。[15]休休：宽容大度的样子。[16]容：容人。[17]彦圣：指善美明达之人。彦，古代指有才学、德行的人。圣，旧时称具有高尚人格、高超智慧的人。[18]不啻(chì)：不异于。[19]媢(mào)：嫉妒。[20]俾：使。[21]违：通"屏"，"排除、驱逐"之意。[22]先：这里有"重用"之意。[23]命：命运。这里有"机遇"之意。[24]拂：违背。[25]疾：疾速。[26]舒：舒缓。[27]府库：国家收藏财物文书的地方。[28]察：察觉。这里有"计较"之意。[29]伐冰之家：这里指古时丧葬能用所藏的冰块保存尸体的贵族人家。[30]长(zhǎng)：一国之长。这里有"统领"之意。[31]彼：指统领国家的国君。

【译文】所谓平定天下在于先要治理好自己的国家，只要处于上位的人尊老敬老，民众便会兴起孝道；上位的人尊重长者，民众便会兴起悌道；上位的人体恤孤儿，民众也不会与此相违背。所以君子总是有着以身作则、推己及人的做人原则。

厌恶你上级的某种行为，就不要用这种行为去对待你的下级；厌恶你下级的某种行为，就不要用这种行为去对待你的上级；厌恶你前边人的某种行为，就不要用这种行为去对待在你后边的人；厌恶你后边人的某种行为，就不要用这种行为去对待在你前边的人；厌恶你右边人的某种行为，就不要用这种行为去对待在你左边的人；厌恶你左边人的某种行为，就不要用这种行为去对待在你右边的人，这就叫作"絜矩之道"。

《诗经》说："使人安乐的君主，犹如民众的父母。"民众所喜好的他也喜好，民众所厌恶的他也厌恶，这就是所谓民众的父母。《诗经》说："高高的南山，岩石层层叠叠。功勋赫赫的太师尹氏，受到万民敬仰。"拥有国家统治权的人不可以不谨慎，稍有偏差就会遭到人们的杀戮啊。

《诗经》说："殷商没有丧失国土之时，尚能与上帝的旨意相匹配。殷商的教训值得借鉴，遵循天命不是容易的事。"道理就是得到众人的拥护则得国土，失去众人的拥护则失掉国土。

所以君子首先慎重地对待"德"。有德才有人拥护，有人拥护才有土地，有土地才有财富，有财富才能满足需用。德是根本，财富是末节，不重视根本而专注于末节，会导致与民争利，相互劫夺。因此，君子过度地敛聚财富，那么民众便会离散而去；如果把财富分散于民间，那么民众便会聚拢在一起。所以说出没有道理的话，入耳的也是没有道理的话；不正当收入的财物，也会不正常地失去。

《康诰》说："天命不是一如既往的常态！"行善则会得到它，不行善则会失去它。

《楚书》上说："楚国没有什么东西可以作为宝贝，只有善行被视为宝贝。"舅犯曾说："逃亡的人没有什么作为宝贝，只把仁爱亲情当作宝贝。"

《秦誓》说："如果有这么一个大臣，绝对忠诚但没有其他技能，他心胸宽豁，能容得下别人的不同意见。别人有技能，感觉如同自己有一样，别人善美明达，他真心喜欢，别人说出的话无异于自己所说，能容所有一切，如此定能保护我的子孙百姓，这是多么有利啊！别人有技能，他妒忌厌恶，别人善美明达，他设法阻拦，一点也不能容人，如此就不能保护我的子孙百姓，也可以说太危险了！"唯有有仁德的人把他们流放，驱逐到四方夷国，不与中原人在一起。这叫作唯有有仁德的人才能有选择地爱护某些人，厌恶某些人。遇见贤能的人而不能举荐，即使举荐而不能重用，这是运气的问题；见到不善的人而不能使之退却，或者使之退却而不能远离，这就是一种过错。喜好人们所厌恶的，厌恶人们所喜好的，这是违背人性的常理，灾祸必然降临在他身上。所以君主有原则，必以忠信赢得民心，骄恣放纵便会失掉民心。

生财有原则，生产财富的人要众多，消耗财富的人要稀少，创造财富要迅速，消费财富要舒缓，如此财富才能常常充足。有仁德的人往往以财富提高完善自身，没有仁德的人往往以身家性命积累财富。没有处于上位的喜好仁而处于下位不喜好义的，没有喜好义的人办事不见结果的，没有国库里的财富不属于国君的。孟献子说过："畜养马匹车乘的大夫不计较养鸡养猪人的微利，丧葬用冰的卿大夫之家不与畜养牛羊之家争利，拥有食邑的百乘之家不应豢养聚敛财富的家臣。与其有聚敛的家臣，还不如有善于行盗的家臣。"这就是说国家不应单纯为了利益而追求利益，应在义的原则下追求利益。统领国家而一心务财的君主，其主意必定来自小人。他对小人友善，任用小人行使国家权力，灾害将会降临。即使有善良的人，也无法阻止，奈何不得！这就是说国家不应把获利作为国家的最高利益，应该把施行道义作为国家的最高利益。

【解读】"平天下"是"八目"中的最后一章，也是儒家道德修养序列中的最高一级，是人生追求的终极目标。"平天下"之"平"，就是使社会安定，政通人和，民风淳朴，成为安居乐业的"大同"社会。实现平天下是儒家思想最重要的理想和目标，基本点在于修身齐家，所以《大学》一再强调个人修身齐家的重要性："一家仁，一国兴仁；一家让，一国兴让。"治国而后平天下的道理和方法，本章总结有四点：絜矩之道、德本财末、崇尚仁人、重义轻财。

第一，絜矩之道。"絜"就是用绳度量，"矩"本是木工画方形使用的工具，画圆用规，画方用矩。方形的对边具有对称性特点，知道了一个边的长度，就可以推知另外一个边的长度。人情好恶，也是这个道理，推己及人，就会知道怎样与人相处了。自己不喜欢的，可以推知别人也不喜欢，所谓"己所不欲，勿施于人"。因此，"絜矩之道"指的是一种"以己度人"的道德规范和为人处世的行事原则。例如，你自己在困难的时候希望得到别人的帮助，别人肯定也希望如此，那就应该平时主动多帮助别人，率先垂范。人人如此，社会自然就会变好，从而实现治国平天下的目标。

具体到治理国家，君子的"絜矩之道"需要做到兴"三事"和控"六恶"。

兴"三事"，即"老老""长长""恤孤"，这三件事都需要为政者有仁爱之心，具体表现就是孝老敬长，关心孤寡。这样做会立刻产生良好的效果："上老老而民兴孝,上长长而民兴弟,上恤孤而民不倍。"上行下效,民众孝悌,不背其理。

季康子问政于孔子,孔子说:"子欲善而民善矣。君子之德风,小人之德草,草上之风,必偃。"(《论语·颜渊》)就是说,君子的表率作用很重要,榜样的力量是无穷的,具有号召力和感染力。孔子认为,一种社会风气的形成主要来自上层。楚王好细腰,宫中多饿死;齐桓好紫色,一国尽紫服。社会上层是一个国家的风向标,执政者的一举一动对于国民有无限的放大效应。执政者尊老敬老,社会上就会兴起孝道;执政者尊重长者,民众就会兴起悌道;执政者体恤孤寡,社会上也会充满爱心。孔子说:"其身正,不令而行;其身不正,虽令不从。"(《论语·子路》)

儒家文化提倡孝道。汉文帝刘恒是以帝王身份进入"二十四孝"的。他登基后颁发

了一道"定振穷、养老"的诏令，具体内容
有：对八十岁以上的老人，每人每月赐给米
一石，肉二十斤，酒五斗；九十岁以上的老
人，每人再加赐帛二匹，絮三斤；赐给九十
岁以上老人之物，必须由县丞（县令的属官，
职位仅次于县令）或者县尉（职位仅次于县
丞）送达；其他的则由啬夫（乡的官吏）来
送达。用国家法令"敬老"，汉文帝开了先河。
在母亲病重的时候，他卧不解衣，亲自尝药，
冷热适宜才喂给母亲喝。汉文帝的孝心在民
间产生了积极的影响，这体现在"二十四孝"
中另一个名为"缇萦救父"的故事上。当时
有个叫淳于意的人弃官从医，因为得罪了权
贵，被诉误诊害人致死。按照汉朝律法，淳
于意应被处以"肉刑"，要么割去鼻子，要
么砍掉手足。淳于意人微言轻，无计可施，
愁眉不展。他的小女儿缇萦勇敢地跑到都城
上书汉文帝为父亲陈情。汉文帝查明淳于意
是被诬告的，当即释放了他。缇萦的孝心还

促使汉文帝废除了残酷的"肉刑"。

《论语》中讲孝道有三个层次："是谓能养""和颜悦色"和"继志述事"，阐释了从物质赡养，到精神敬养，直至道义传承的三重境界。

进入社会主义新时代，我们仍然需要继承和发扬儒家文化中的这些精华内涵，以促进社会主义和谐社会建设。例如，现在我国各地普遍实行的一些敬老举措，如旅游景区老人免票，老人免费乘坐公交车，公交车上设老弱病残孕专座，提醒年轻人给老年人让座等，深得人民群众的拥护。虽都是生活小事，却对促进和谐社会建设具有巨大作用。

控"六恶"，即要控制六种厌恶情绪的扩展和延续。"所恶于上，毋以使下；所恶于下，毋以事上；所恶于前，毋以先后；所恶于后，毋以从前；所恶于右，毋以交于左；所恶于左，毋以交于右。"此为要控的"六恶"，体现的是"己所不欲，勿施于人"的做事基本准则。

这些基本准则，指导我们行事做人，至今仍有实践价值和现实意义。

"所恶于上，毋以使下。"你厌恶在上位的人的某些做法，就不要用这种做法对待你下位的人。例如，你不喜欢你的上级领导刚愎自用，专横跋扈，那么，你对待你的下属也不要独断专行，搞一言堂；你不喜欢你的上级领导高高在上，摆官架子，那么，你就要注意对你的下属平易近人，关心爱护。

"所恶于下，毋以事上。"你厌恶在下位的人的某些做法，就不要用这种做法对待你上位的人。例如，你不喜欢你的下属阳奉阴违，不听指挥，那么，你对待你的上级领导，就不要明里一套，暗里一套；你不喜欢你的下属欺骗你，那么，你也不要欺骗你的上级领导。

"所恶于前，毋以先后；所恶于后，毋以从前。"你不喜欢你前面的人的某些做法，就不要跟着这样做。例如，在公共场合，大家在自觉排队的时候，你不喜欢前面有人插队，那么，你就要遵守规则，不要插队；你厌恶后面的人往前挤，你就不要也往前挤。

"所恶于右，毋以交于左；所恶于左，毋以交于右。"你不喜欢右边的人的做法，就不要用这种做法对待你左边的人；你不喜欢左边的人的做法，就不要用这种做法对待你右边的人。例如，朋友之间要真诚相待，你不喜欢你的朋友不真诚，那么，你就应该真诚对待你的朋友；你不喜欢朋友身上的某种坏习惯，那么，你就要注意反省自身，改掉这类毛病。

刘向《新序·杂事四》记载了个小故事：

梁大夫有宋就者，尝为边县令，与楚邻界。梁之边亭，与楚之边亭，皆种瓜，各有数。梁之边亭人，劬力数灌其瓜，瓜美。楚人窳而稀灌其瓜，瓜恶。楚令因以梁瓜之美，怒其亭瓜之恶也。楚亭

人心恶梁亭之贤已，因往夜窃搔梁亭之
瓜，皆有死焦者矣。梁亭觉之，因请其尉，
亦欲窃往报搔楚亭之瓜。尉以请宋就。
就曰："恶是何可构怨祸之道也。人恶
亦恶，何偏之甚也。若我教子必每暮令
人往窃为楚亭夜善灌其瓜，勿令知也。"
于是梁亭乃每暮夜窃灌楚亭之瓜，楚亭
旦而行瓜，则又皆以灌矣，瓜日以美，
楚亭怪而察之，则乃梁亭之为也。楚令
闻之大悦，因具以闻楚王，楚王闻之，
愁然愧以意自闵也。告吏曰："微搔瓜者，
得无有他罪乎？此梁之阴让也。"乃谢
以重币，而请交于梁王，楚王时则称说，
梁王以为信，故梁楚之欢，由宋就始。

梁国就是战国时期的魏国。魏国边亭和
楚国边亭都种瓜，楚国人很少灌溉，种的瓜
不如魏国人种的好，楚国官员很生气。楚人
于是就夜里偷偷去魏国瓜田破坏，搔断了一

些瓜秧。魏国人发现此事，想要报复。宋就制止了手下人想要报复楚国的做法，遵循了"所恶于右，毋以交于左；所恶于左，毋以交于右"的处事原则。他派人偷偷帮助楚亭浇灌瓜田，楚国人发现了以后，非常惭愧。于是，楚国与魏国结成友好关系。试想，如果魏国人也去破坏楚国瓜田，那么，两国势必结怨，甚至引发战争。

第二，德本财末。德本财末是儒家重义轻利思想的表现，为政者"有德"，是"有人""有土""有财""有用"的根基。"有德"，首先要坚守以民为本的"重民"理念，这才是立德之本，更是"平天下"者修养素质的基本要求。如果不爱民，不以人民的意志为转移，人民就会离他而去。为了证明这个道理，本章引用了三条《诗经》材料，并作了简要解释。

《诗》云："乐只君子，民之父母。"

民之所好好之，民之所恶恶之，此之谓民之父母。

《诗》云："节彼南山，维石岩岩。赫赫师尹，民具尔瞻。"有国者不可以不慎，辟则为天下僇矣。

《诗》云："殷之未丧师，克配上帝。仪监于殷，峻命不易。"道得众则得国，失众则失国。

一个有德的当政者，他心中只有人民，时刻为民着想，并与人民心心相连、同呼吸共命运，这才是爱民如子的表现。心向一处想，劲往一处使，凡事以人民的利益为重。当政者要慎重对待手中的权力，一旦利欲熏心，心存不公，没有了高尚的品德，就会失去人民的信任与拥护，何以言"平天下"？

《史记》记载了周文王得民心，从而得人得士的事例：

公季卒，子昌立，是为西伯。西伯曰文王，遵后稷、公刘之业，则古公、公季之法，笃仁，敬老，慈少。礼下贤者，日中不暇食以待士，士以此多归之。伯夷、叔齐在孤竹，闻西伯善养老，盍往归之？太颠、闳夭、散宜生、鬻子、辛甲大夫之徒皆往归之。（《史记·周本纪》）

当姬昌施行仁政时，天下的贤士们便纷至沓来。人们好仁孝，姬昌就"笃仁，敬老，慈少"；人们厌恶老无所依，姬昌就推出养老的法令"善养老"。于是远在孤竹的伯夷、叔齐，也加入移民西周的行列。

《史记》同样记载了商纣王失德从而失去贤士的事例：

商容贤者，百姓爱之，纣废之。……纣愈淫乱不止。微子数谏不听，乃与大师、少师谋，遂去。（《史记·殷本纪》）

纣王凶残暴戾、荒淫无道，致使贤士纷
纷出逃，最后身死国灭。前车之鉴，值得深思。
本章接着强调了"德"的重要性：

是故君子先慎乎德。有德此有人，
有人此有土，有土此有财，有财此有用。
德者本也，财者末也，外本内末，争民
施夺。是故财聚则民散，财散则民聚。
是故言悖而出者，亦悖而入；货悖而入者，
亦悖而出。

《康诰》曰："惟命不于常！"道善
则得之，不善则失之矣。

这里，把"德"与"人、土、财、用"
紧密地联系起来，成为一个连环相扣、不可
分割的整体。"德本财末"，是本段的主体
思想，也是当政者遵循的基本原则。如果脱
离了这一原则，轻德失本，与民争利，聚敛
财富，导致国富民穷，那么人民就会离心离德。

钱财来得不正当，也会以不正当的方式失去。

杨衒之《洛阳伽蓝记》记载了北魏时期王公贵族豪华奢侈、富可敌国的事例：

> 琛在秦州，多无政绩。遣使向西域求名马，远至波斯国，得千里马，号曰"追风赤骥"。次有七百里者十余匹，皆有名字。以银为槽，金为锁环。诸王服其豪富。琛常语人云："晋室石崇乃是庶姓，犹能雉头狐腋，画卵雕薪，况我大魏天王，不为华侈？"造迎风馆于后园。窗户之上，列钱青琐，玉凤衔铃，金龙吐佩。素柰朱李，枝条入檐，伎女楼上，坐而摘食。
>
> 琛常会宗室，陈诸宝器，金瓶银瓮百余口，瓯、檠、盘、盒称是。自余酒器，有水晶钵、玛瑙杯、琉璃碗、赤玉卮数十枚。作工奇妙，中土所无，皆从西域而来。又陈女乐及诸名马。复引诸王按行府库，锦罽珠玑，冰罗雾縠，充积其内。

绣、缬、䌷、绫、丝、彩、越、葛、钱、绢等，不可数计。琛忽谓章武王融曰："不恨我不见石崇，恨石崇不见我！"

融立性贪暴，志欲无限，见之愤叹，不觉生疾。还家，卧三日不起。江阳王继来省疾，谓曰："卿之财产，应得抗衡。何为叹美，以至于此？"融曰："常谓高阳一人宝货多于融，谁知河间，瞻之在前。"继笑曰："卿欲作袁术之在淮南，不知世间复有刘备也？"

北魏元氏皇族轻德失本，贪婪残暴，只知道聚敛财富。河间王元琛、高阳王元雍、章武王元融、江阳王元继，都是富可敌国的皇族权贵。河间王向宗室炫耀财富，为没有办法让晋代大富豪石崇甘拜下风而遗憾。元融见到了元琛的财富感叹不已，竟然气得大病一场，回到家里躺在床上三天不起来。江阳王元继来探视，对他说："你的财产，应当与他不相上下，为什么感叹羡慕，到了这个地步？"元融说："我曾经认为只有高阳王一个人的珍宝财物比我多，谁知道河间王的财富也超过了我。"元继笑着说："你想成为淮南的袁术，不知道世上还有刘备吗？"元融曾经以为自己是财富亚军，忽然发现只能屈居第三，所以难以接受这个现实。元继则笑着说，你孤陋寡闻，就像袁术不知有刘备。言外之意，比你富有的人还有的是，比如我就是一个，第三名也轮不到你啊。

北魏皇族失德聚财，"国家殷富，库藏盈溢,钱绢露积于廊者,不可较数"（杨衒之《洛阳伽蓝记》）。财富聚敛虽多，但民心尽失。重财轻德，其结局是，"经河阴之役，诸元歼尽"。

第三，崇尚仁人。在用人方面，本章主张品德第一，才能第二。"用人以德，唯德是举"，德统率才，决定才的方向和发力点。有德者，必怀仁。这里引用《秦誓》，并加以阐发：

> 《秦誓》曰："若有一个臣，断断
> 兮无他技，其心休休焉，其如有容焉。
> 人之有技，若己有之，人之彦圣，其心
> 好之，不啻若自其口出，寔能容之，以
> 能保我子孙黎民，尚亦有利哉！人之有
> 技，媢疾以恶之，人之彦圣，而违之俾
> 不通，寔不能容，以不能保我子孙黎民，
> 亦曰殆哉！"

这段话是秦穆公对群臣的告诫，总结战
败后的教训。当时秦穆公一心想讨伐郑国，
大臣蹇叔苦苦劝谏，反被国君讽刺痛骂。结
果郑国早有防备，攻打不成，秦军在回国途
中又遭晋军伏击，全军覆没。秦穆公痛定思
痛，终于认识到仁德之人对于国家的重要性。
仁德之人，站得直、行得正、做得端，为了
国家利益，敢于发表自己的意见，发现危害

国家的事情挺身而出，这才是"仁人"的表现。

"唯仁人放流之，迸诸四夷，不与同中国。此谓唯仁人为能爱人，能恶人。"唯有仁德的国君，才会把道德品质低下、嫉贤妒能、利欲熏心、危害他人者放逐到远方，这样做只是为了隔离他们，消除其社会危害和影响，保护百姓，而不是诛之而后快。这是对所厌恶之人的处置方法。因琐事与自己的心意不合，君主便随意杀人的案例，翻开史书比比皆是。例如，春秋时期的晋灵公，"宰夫胹熊蹯不熟，杀之，置诸畚，使妇人载以过朝"（《左传·宣公二年》）。只是因为厨师没有把熊掌做熟，就把这个厨师杀了。但是，仁德之人是不会滥杀无辜的。只有仁人怀有中正之心，采用正确的方式方法，"能爱人，能恶人"。

"见贤而不能举，举而不能先，命也；见不善而不能退，退而不能远，过也。"见到贤能的人不能举荐上去，或者即使举荐上去而不能重用，这是运气的问题，因为用与不用在于君主，不取决于你自己；见到不善的人而不能使之退却，或者使之退却而不能远离，这就是一种过错了，因为你自己就可以做得到，并不取决于别人。

第四，重义轻财。君子爱财，取之有道。儒家思想文化中，对追求钱财持充分肯定的态度，而且认为，"邦有道，贫且贱焉，耻也"（《论语·泰伯》）。在有道之国，没有钱财，贫穷卑贱，是一种耻辱。"轻财"，是与"道"相比较而言的，并非不重视钱财。但是，钱财必须通过正当的途径得来。有道之"道"，即"道义"。不符合道义的钱财，君子是不取的。孔子说："富与贵，是人之所欲也；不以其道得之，不处也。"（《论语·里仁》）

对于个人，对于国家，钱财都是非常重要的。个人没有钱，无以维持生计；国家没有钱，很多事情都办不成。有句俗话说："钱不是万能的，没有钱是万万不能的。"古今同理。所以，儒家思想文化里也主张"生财"，并不避讳。

"生财有大道，生之者众，食之者寡，为之者疾，用之者舒，则财恒足矣。"这几句话讲的是国家"生财"的方法和原则。首先，生产财富的人要众多。财富靠众人去创造，创造财富的人越多，国家积累的财富就越多。这是"开源"。其次，消耗财富的人要稀少，要精简机构，压缩开支。这是"节流"。最后，创造财富要迅速，消费财富要舒缓。一快一慢，财富积累进入良性发展轨道，国家财富才能经常充足。这对国家安定、持久繁荣起到决定性作用。

"仁者以财发身，不仁者以身发财。"这两句讲的是仁者与不仁者对待钱财的两种截然不同的态度。仁者能够正确使用钱财，用于修身养性增长才干，以及公益事业扶危济困等，美名远扬，名留青史，此谓"以财发身"。不仁者恰恰相反，一生被钱财所奴役，

有了钱就大肆炫富，自以为高贵，其实浅薄
愚蠢，为人不齿，此谓"以身发财"。《国语·鲁
语》记载了一则故事，值得今人借鉴学习：

> 季文子相宣、成，无衣帛之妾，无
> 食粟之马。仲孙它谏曰："子为鲁上卿，
> 相二君矣，妾不衣帛，马不食粟，人其
> 以子为爱，且不华国乎！"文子曰："吾
> 亦愿之。然吾观国人，其父兄之食粗而
> 衣恶者犹多矣，吾是以不敢。人之父兄
> 食粗衣恶，而我美妾与马，无乃非相人
> 者乎！且吾闻以德荣为国华，不闻以妾
> 与马。"

季文子做鲁国的国相，历仕两君，地位
不可谓不高贵，钱财不可谓不富有。但他心
系鲁国百姓，关心百姓疾苦，生活朴素，从
不奢华。这是难能可贵的。

"未有上好仁而下不好义者也，未有好

义其事不终者也，未有府库财非其财者也。"前面讲过，身居上位的影响力是巨大的，"上有所好，下必甚焉"。所以上行下效的结果便是：倡导道义，通达道义，而道义的力量是无穷的，任何事情都能有圆满的结果。比如我们现在的"一带一路"，不以利益为目的，而是带着一种大国担当的道义感、责任感，所以得到多方响应，未来必定圆满成功。"未有府库财非其财者也"，不能单从字面上理解，其深层含义是说：只有重道轻财，符合道义得到的财，才会真正成为你的财，也才会为你所用。下面引用了孟献子的话，意在说明，治国不能以聚财为目标，不是什么钱都能去赚，应该让利于民，给底层社会留出一定的生存空间：

孟献子曰："畜马乘不察于鸡豚，伐冰之家不畜牛羊，百乘之家不畜聚敛之臣。与其有聚敛之臣，宁有盗臣。"

此谓国不以利为利，以义为利也。

当政者应该把"义"放在首位，不应以逐利为目标，更不能斤斤计较，与底层民众争利。养得起马与车的富裕人家，不应该去争抢养鸡养猪之类的利益，要把这些微薄利益留给贫苦民众。家中贮藏冰块的富贵人家，不应该去争抢养牛养羊之类的利益，要适当让出一些获利空间给社会底层百姓。拥有百辆车子的贵族人家，不豢养专职搞经营聚敛财富的家臣。与其有这样的家臣为他增加财富，还不如有个偷盗的家臣减损他的财富呢。治国不能一味追求财富的增加，而应该以义为利。

孔子非常反感贵族人家蓄养"聚敛之臣"。《论语》记载了一件事，孔子弟子冉求为季康子聚敛财富，惹得孔子大发雷霆：

季氏富于周公，而求也为之聚敛而

附益之。子曰："非吾徒也。小子鸣鼓而攻之，可也。"（《论语·先进》）

古代圣贤的义利观，至今仍有重要的现实意义，值得我们继承发扬。孔子说："君子义以为上。"（《论语·阳货》）"君子喻于义，小人喻于利。"（《论语·里仁》）孔子认为，对待"义"与"利"的态度，是君子与小人的判定标准。孟子说："生，亦我所欲也，义，亦我所欲也，二者不可得兼，舍生而取义者也。"（《孟子·告子上》）孟子把"义"看得比生命还重要。荀子指出："先义而后利者荣，先利而后义者辱。"（《荀子·荣辱》）荀子认为，追求利益，无可厚非。但是，在追求利的过程中，把义摆在第一位，是一种光荣的行为。如果把利放在第一位，那是一种耻辱。

本章最后总结说：

长国家而务财用者，必自小人矣。彼为善之，小人之使为国家，灾害并至。虽有善者，亦无如之何矣！此谓国不以利为利，以义为利也。

这是提醒当政者慎重对待义与利的关系。以利为上，通过搜刮民财来达到富国目的，这一定是出自小人的主意。小人主导治理国家，会给人民带来灾难。即使有善良的人，也无可奈何！这就是说，国家不应把获利作为国家的最高利益，而应把施行道义作为国家的最高利益。

来自传统文化的"重义轻利""见利思义"等思想观念，已经成为每个中国人耳熟能详的道德准则。"万物并育而不相害，道并行而不相悖。"在当今中国，继承发扬中华优秀传统文化，秉持正确的义利观，既是建设和谐社会的需要，也是中国走向世界舞台的需要。

后记

　　"中华优秀传统文化书系"是山东省委宣传部组织实施的 2019 年山东省优秀传统文化传承发展工程重点项目，由山东出版集团、山东画报出版社策划出版。

　　"中华优秀传统文化书系"由曲阜彭门创作室彭庆涛教授担任主编，高尚举、孙永选、刘岩、郭云鹏、李岩担任副主编。特邀孟祥才、杨朝明、臧知非、孟继新等教授担任学术顾问。书系采用朱熹《四书章句集注》与《十三经注疏》为底本，英文对照主要参考理雅各（James Legge）经典翻译版本。

　　《大学》由孙永选担任执行主编；房政伟、

束天昊、张勇、高天健担任主撰；王明朋、王新莹、朱宁燕、朱振秋、刘建、李金鹏、杨光、张博、陈阳光、尚树志、周茹茹、屈士峰、郭耀、黄秀韬、曹帅、龚昌华、韩振、鲁慧参与编写工作；于志学、吴泽浩、张仲亭、韩新维、岳海波、梁文博、韦辛夷、徐永生、卢冰、吴磊、杨文森、杨晓刚、张博、李岩等艺术家创作插图；本书编写过程中参阅了大量资料，得到了众多专家学者的帮助，在此一并致谢。